Lekker weg!

De boeken van **Kate Cann**
bij Uitgeverij Kluitman:

Trilogie:

Verliefd

Samen

Twijfels

*

Vrij

*

Verscheurd

*

Fiësta

*

Trilogie:

Grof geld

Alle ruimte

Vol gas

*

Lekker weg!

Kate Cann

KLUITMAN

Voor Nell

NEDERLANDSE
KINDERJURY
2006

Omslagillustratie: Ingrid Baars/The Artbox
Omslagontwerp: Design Team Kluitman
Nederlandse vertaling: Lydia Meeder
Dit boek is gedrukt op chloorvrij gebleekt papier,
dat afkomstig is van hout uit productiebossen.

Nur 284/G030501
ISBN 90 206 2157 2
©MMV Nederlandse editie:
Uitgeverij Kluitman Alkmaar B.V.
©MMIII Kate Cann
Oorsponkelijke titel: *escape v.*
First published in the UK by
Scholastic Children's Books, London.

www.kluitman.nl

BIJ KONINKLIJKE BESCHIKKING
HOFLEVERANCIER

Deel 1

Vlucht uit Engeland

Als ik mijn broertje Jack niet met een houten balk op zijn kop had geslagen, had ik die baan als kindermeisje in Amerika niet gekregen, en was de rest ook nooit gebeurd. Het kwam allemaal door een houten balk. Als ik hem nog had, zou ik er een totempaal uit snijden en hem vereren…

1

Dinsdagmiddag vijf uur, en de dood lijkt een aantrekkelijke optie. Ik ben compleet gesloopt en overspannen, geplet onder het gewicht van angst en wanhoop en halfgelezen studieboeken. Over twee dagen heb ik een zwaar examen, en als ik er ook maar iets van wil bakken moet ik de tijd drie weken stilzetten.

En aangezien ik geen tijdmachine heb, wordt het de dood. Als ik nog vijf minuten langer boven mijn waardeloze aantekeningen aan mijn gammele bureau in mijn bedompte kamer blijf zitten zet de lijkverstijving toch vanzelf in, dus...

Beneden hoor ik mijn moeder binnenkomen, haar automatisch „hallo!" roepen. Een piepklein sprankje hoop brengt me in beweging. Ik kom krakend overeind en sleep mezelf de trap af naar de keuken, op zoek naar medeleven.

„Hallo, mam," kreun ik, „wat ben jij vroeg uit je werk."

„Dat komt doordat ik zo vroeg ben begonnen!" zegt ze zónder enig medeleven. Ze begint energiek de supermarkttassen die ze op het aanrecht heeft neergezet uit te pakken. „Dat is het mooie aan flexibele werktijden! Ik begin zo vroeg mogelijk, zodat ik niet de hele dag achter de feiten aan hoef te lopen."

„Zeg maar niks," brom ik. „Ik loop ook maar te..."

„O, Rowan!" valt ze uit. „Alsof jij weet wat het is om vroeg te beginnen! Toen ik je om elf uur belde om te vragen of het al een beetje opschoot met studeren, lag je nog in béd!"

„Ik lag alleen maar even tussendoor bij te komen," lieg ik. „Ik ben gewoon zó moe."

„Aan vermoeidheid moet je niet toegeven. Ha, stel je eens voor dat ík dat deed! Als ik niet doorging, wat zou er dan gebeuren?" Ze duikt de besteklade in, haalt er een aardappelschilmesje uit en wiebelt dat voor mijn neus heen en weer. „Het zijn jóúw examens, Rowan, het gaat om jóúw toekomst. Ik heb je maanden geleden al gewaarschuwd dat je je schouders eronder moest gaan zetten. Denk maar niet dat de kaboutertjes je huiswerk doen – je moet er zélf achteraan!"

Mam is haar roeping misgelopen. Ze staat aan het hoofd van een of andere bestuursafdeling bij de gemeente, maar ze had beter commandotroepen kunnen gaan leiden in het leger. Ze geeft nooit toe aan neerslachtige buien, aan verwarring, uitputting of onzekerheid. Of aan mij.

„Als je zákt," gaat ze verder met zo'n twintig liter vergif in het woord, „is het je eigen schuld. Puur je eigen schuld!"

Ik voel me zo aangevallen door haar genadeloze kritiek dat ik op een van de keukenstoelen neerzak en begin te snotteren.

Mijn moeder werpt zich fanatiek op de aardappels.

Ik snotter harder.

Ze schilt door, kiepert ze een voor een in een pan, bonk-bonk-bonk. Bij de vijfde smijt ze het mesje neer, komt de keuken door stampen en slaat haar arm om mijn schouders. Ze knijpt erin alsof ze eigenlijk liever mijn nek zou breken en blaft: „Luister, je moet er even tussenuit. Ga een frisse neus halen. Zorg voor wat líchaamsbeweging."

Lichaamsbeweging is mijn moeders tovermiddel.

„Schiet op," zegt ze terwijl ze weer in mijn schouders knijpt, dit keer zo hard dat mijn botten kraken. „Ga een stukje stévig wandelen in de frisse lucht."

Net op dat moment komt mijn broertje Jack de keuken in paraderen, zijn bovenlijf bloot en met een grote halter in elke hand. Hij lijkt totaal niet te beseffen hoe dom hij eruitziet, want

8

hij heeft die voor hem kenmerkende arrogante grijns op zijn irritant knappe kop geplakt.

„Wandelen is geen sport," zegt hij smalend. Hij zet zich schrap en begint de gewichten op en neer te pompen. „Als je je opgefokt – oef! – voelt, zus, ga dan – oef! – met mij mee naar – oef! – de sportschool."

„Dat is nog eens een idee!" roept mam. Ze glimlacht liefhebbend naar Jack nu ze een kans ziet om iemand anders met mij en mijn gejammer op te schepen. „Wat lief aangeboden, Jack."

„Niks lief!" snauw ik. „Die sadist wil me gewoon martelen!"

„Doe niet zo raar, lieverd."

„Hij doet het om me te pesten! Me op zo'n loopband zetten en de snelheid opvoeren tot ik tegen de muur word geslingerd!"

Jack buldert van het lachen; hij ziet het vast al voor zich.

„Doe niet zo raar, Rowan," herhaalt mam met een zucht. „Je moet er echt even uit, dat weet je zelf ook wel."

„Zeker weten," valt Jack haar bij. „Moet je jezelf nou zien zitten. Alsof je net uit de sloot bent opgedregd." Hij paradeert de keuken uit. „Het aanbod blijft geldig, zus!" roept hij nog over zijn schouder.

Vernietigend kijk ik zijn bezwete rug na. Ik blik naar mam, die moedeloos haar hoofd schudt en de laatste aardappel begint te schillen. En dan hoor ik mezelf zeggen: „Oké, wijsneus, laten we dan maar gaan."

Tien minuten later sjok ik op een groezelig paar gympen over het jaagpad langs de rivier richting sportschool. Vroeger werd deze strook gebruikt door paarden die de schepen voortsleepten. Nu word ik door Jack voortgesleept, en ik heb spijt als haren op mijn hoofd. Net als hij, zo te oordelen. Hij heeft waarschijnlijk alleen maar gevraagd of ik meeging om te slijmen bij

9

mam, zodat ze hem in het weekend een tientje extra toestopt.

Jack is mams oogappel. Ze wou dat ik meer pit, meer ambitie had, net zoals hij – dat weet ik zeker. En pap ook. Ik ben een keer meegegaan naar een rugbywedstrijd van Jack, en heb uiteindelijk meer naar mijn vader staan kijken dan naar het veld. Hij stond Jack aan te moedigen, en ik had hem nooit eerder zo enthousiast gezien, zo opgewonden en trots. Het bezorgde me een merkwaardig, verdrietig gevoel.

Om eerlijk te zijn vinden allebei mijn ouders dat Jack veel, veel hoger op de prestatieladder van het leven staat dan ik. Zo moeilijk is dat op zich niet, want ik heb nooit werkelijk iets bereikt. Ik heb mijn zwemles eraan gegeven, pianoles, paardrijden, ballet. Ik had de pest aan elke vorm van competitie en aan het diploma-halen dat erbij hoorde, aan de druk.

Jack bloeit juist op onder druk, al sinds hij zijn eerste stap zette. Hij was toen tien maanden jonger dan toen ik ophield met kruipen. En nu heeft een of andere beroemde rugbyclub hem 'ontdekt' en op een 'toptalentencursus' gezet, zodat hij voor ze kan gaan spelen wanneer hij ouder is. Bij die cursus hoort onbeperkt gebruik van de sportschool van de club, en een trainingsprogramma bedoeld om zijn spiermassa te vergroten. Na drie weken is de enige merkbare vergroting zijn opgeblazen eigendunk.

We lopen een bocht in het jaagpad door. „Kom op, slome!" roept Jack over zijn schouder. „Schiet eens op! Mens, als ik alleen ben, ga ik er jóggend naartoe."

Ik jog niet. Ik antwoord niet. Ik kijk naar de rivier en stel me voor dat ik erin glijd, me door het water laat meenemen, naar de bodem zink, weg van Jack, van de examens, van alles... en dan hoor ik het angstige gekwaak. Dan zie ik de zielige eend en haar drie zielige, kleine pulletjes. Als aan de grond genageld blijf ik staan. „Jack! Kom terug – kijk!"

Hij kijkt over het hek omlaag. „Eenden. Nou en?"

„Maar ze zit vast in de sloep! Kijk! Ze is helemaal over haar toeren!"

In de bocht van de rivier, vastgelopen op de oever, ligt een roestende, oude metalen sloep, vol met gaten. Bij vloed loopt de schuit vol en verdwijnt onder water. Maar het tij is nu laag, en er staat nog maar een paar centimeter water in de sloep, veel, veel lager dan de hoge, steile, onbeklimbare wanden. En de arme moedereend zwemt rondjes op dat laagje water, gevolgd door haar bibberige kroost, wanhopig op zoek naar een uitweg.

„Stom beest," bromt Jack. „Ze is er natuurlijk bij hoog tij in gegaan, en nu het water is gezakt, zit ze in de val."

„O, dus het is haar eigen schuld?"

Hij haalt zijn schouders op. „Logisch. Kom op, ik wil trainen."

„Jémig! Wat ben jij gemeen!"

„Ze kan eruit als ze wil! Eenden kunnen vlíégen!"

„Wat, dacht je dat ze haar kleintjes achterliet? Niet iedereen is zo harteloos als jij, Jack!"

„Mens, schiet nou op!"

„We kunnen haar zo niet achterlaten. Kijk nou hoe bang ze is! Het duurt nog eeuwen voor ze eruit kunnen. En ze zitten er natuurlijk al uren in. Ze sterven vast van de honger." Dan krijg ik een idee. „Hé, heb je weer zo'n dikke stapel boterhammen bij je?"

„O nee, daar blijf je van af."

Ik grijp zijn sporttas en geef er een ruk aan. „Wees niet zo egoïstisch! Wie heeft het nou harder nodig – die arme uitgeputte eendjes of jij?"

„Ik!" Zijn stem slaat over van verontwaardiging. „We moeten van de coach eten na het sporten! De verbruikte energie aanvullen, onze spieren opbouwen." Hij klemt zijn handen steviger om de tas.

„Luister, Jack – mán, ik haat je! – luister – geef ze aan mij. Ik koop straks wel iets anders voor je. Iets lekkerders."

„Ja, dat zeg je nu. Laat die stomme eend verrekken. Laat dat beest lekker barsten, ik…" Hij klapt zijn mond dicht wanneer ik hard aan de tas ruk en hem uit zijn greep trek. Ik draai me vliegensvlug om, doe hem open en zie een stapel boterhammen in folie zitten. Jack duikt brullend of me af, dus ik grijp het brood en laat tegelijk de tas op zijn voet vallen. Hij is een paar tellen afgeleid, zodat ik het folie eraf kan trekken om de boterhammen stuk voor stuk onder te spugen.

Verbouwereerd blijft Jack staan. „Jij trút," sist hij, zijn mond vertrokken van walging en haat. „Jij vuile vieze trút!"

„Hou je kop. Lust je ze nu nog?" Ik wapper met de boterhammen, begin ze dan in lekkere kleine eendenhapjes te scheuren en strooi ze in de roestige sloep. De eend en haar pulletjes vallen er heftig snaterend op aan. „Zo! Zie je wel dat ze uitgehongerd waren?" Ik kijk toe en voel me vanbinnen warm worden terwijl de dieren steeds minder gulzig happen, en dan ophouden terwijl er zelfs nog een paar stukjes over zijn.

Jack heeft ook staan kijken. Misschien is er wel wat medeleven in zijn van zichzelf vervulde schedel doorgedrongen. Hoe dan ook, hij slaat me niet, dreigt niet me in het water te smijten. „We moeten hulp voor ze halen," merk ik op.

Als hij al medeleven voelde is dat meteen weer verdwenen. „Hou toch op, idioot. We hébben ze al geholpen! Je hebt ze al mijn boterhammen gegeven!"

„Ze kunnen niet blijven zwemmen tot het weer hoogwater is. Dan gaan ze dood van uitputting."

Jack draait zich naar me toe. „Eénden…" zegt hij alsof hij het tegen een imbeciel heeft, „dríjven."

12

„Niet de hele nacht. Ze slapen op de wal. Echt! Als we een vlot..."

„Allemachtig! Waaraan heb ik zo'n gestoorde gek als zus te danken? Geweldig. Dus nu ga je een eendenvlot bouwen? Wat – takjes aan elkaar binden, en een popperig zeiltje erop?"

Ik werp hem een dodelijke blik toe die hij helaas overleeft, duw me van het hek af en begin de muur aan de andere kant van het pad af te zoeken, waar allerlei zwerfvuil ligt. „Ik heb het niet over bóúwen," grom ik. „Ik bedoel er eentje zoeken. Een stuk hout, iets wat blijft drijven..." Ik zie een veelbelovend uitziende balk liggen, loop erheen en pak hem op. „Dit is misschien goed. Wel wat smal, maar..."

„En dat ding ernaast?" vraagt Jack, die zich onwillekeurig toch laat meeslepen. Hij wijst naar een gigantische plaat met teer erop.

„Véél te groot, man," snauw ik. „Dat is een half schuurdak. Als je dat erin gooit, veroorzaak je een vloedgolf."

„Niet als je meehelpt en we hem er voorzichtig in laten zakken."

„Nee, ik doe het anders." Ik marcheer met mijn eigen balkje terug naar het hek en staar in de gezonken sloep. De eenden lijken wat te zijn opgekikkerd nu ze gevoerd zijn, maar ze zwemmen nog steeds radeloos in cirkeltjes rond. Er is helemaal niets waarop ze even kunnen zitten. „Ga eens naar de andere kant, mammie," roep ik. „Toe maar, dan laat ik dit mooie vlot vallen en kun je er lekker op uitpuffen met je kindjes en..."

Ik breek mijn zin af. Achter me is een enorme schaduw opgerezen. Het is het schuurdak. Jack heeft het vast, en voordat ik hem kan tegenhouden, tilt hij het boven zijn schouders en laat het los. Het zeilt over mijn hoofd, het klettert in de boot neer, het komt met een nucleaire dreun op het water terecht.

Een metershoge vloedgolf steekt op, de moedereend snatert

in doodsangst, surft fladderend mee omhoog, draait zich dan om, uitzinnig zoekend naar haar kindjes... Een van de pulletjes is meegevoerd door de golf en wordt tegen de wand van de schuit gekwakt, de andere twee zijn spoorloos verdwenen.

Ik voel me misselijk, ik speur wanhopig het deinende water af, en terwijl de storm gaat liggen, zie ik de andere twee hun kopje opsteken, helemaal ontsteld en bang.

Er daalt een vreemde kalmte neer, zoals de kalmte na een ernstig ongeluk. Dan verzamelt de moeder snaterend van woede en angst haar drie kletsnatte kuikentjes om zich heen.

Ik draai me naar Jack toe, de balk nog in mijn handen. Mijn maag is verkrampt, mijn keel zit dichtgeknepen. Ik voel dat er tranen over mijn wangen lopen.

„Spierkracht, hè?" zegt hij snoeverig. „Dat gevaarte helemaal in mijn uppie over het hek tillen, niet slecht, hè zus?"

Dat is het moment waarop mijn armen vanzelf de balk als een honkbalknuppel in stelling brengen en er met een felle swing mee tegen de zijkant van Jacks hoofd slaan.

Krrráááák.

2

Ik heb echt niet al mijn kracht gebruikt. Als ik die wel had gebruikt, met de woede die ik voelde, zou ik waarschijnlijk zijn hoofd van zijn romp hebben geslagen. Toch zakt Jack door zijn knieën en valt dan als een kegel om.

„Auw-woe-hoe-hoe," kreunt hij.

Volkomen verbluft door wat ik heb gedaan, blijf ik staan. Dan sluit ik me er min of meer voor af en richt mijn blik op de sloep. Het water is weer rustig, de pulletjes piepen niet meer zo angstig en blijven dicht bij hun moeder. Ze kijkt naar me met intense haat in haar eendenoogjes.

„Ik heb niks gedaan!" roep ik smekend.

„Dat heb je wel!" loeit Jack.

De eend keert zich om en zwemt zo ver mogelijk bij het schuurdak vandaan, dat als een gigantisch eiland op het water drijft.

„Argh!" jammert Jack. „A-hahhh! Ik zie niks meer! Ik ben blind!"

De babyeendjes lijken ongedeerd, ze zwemmen prima, maar wie weet wat ze aan de schok overhouden, en misschien hebben ze wel inwendige verwondingen, of…

„Grrreu. O nee-hee-hee…"

De realiteit druppelt door in mijn bewustzijn. Als ik dat ettertje verwond heb, krijg ik thuis de grootste ellende. Als ik onherstelbare schade heb aangericht, bedoel ik. Of zelfs herstelbare. Misschien moet ik toch maar even kijken wat er met die schreeuwerd aan de hand is.

Jack heeft allebei zijn handen voor zijn gezicht geslagen. Tot mijn schrik zie ik een stroompje – een stroom zelfs – bloed tussen zijn vingers door lopen.

„Ik ben blind," kreunt hij weer, „en ik bloed!"

Ik hou mijn adem in, bereid me voor op het ergste en pulk zijn vingers voor zijn gezicht vandaan.

Oei. Mijn eerste gedachte is dat hij eruitziet als een gebarsten meloen. Van net boven zijn rechteroor tot helemaal naar zijn kaak loopt een snee waar het bloed uit gutst. Ik rommel in mijn zak, trek er een prop zakdoekjes uit en druk die op de wond.

„Wat doe je?" krijst hij. „Je maakt het alleen maar erger!"

„Nee, ik hou het bloeden tegen."

„Waarom zou ik jou vertrouwen? Je hebt net geprobeerd om me te vermoorden, je hebt me blínd gemaakt..."

„Jack, stel je niet aan. Je bent niet blind, je zit je ogen dicht te knijpen. Doe ze maar open. Kom op."

„Het gaat niet! Het gáát niet! Je hebt mijn oogballen eruit geslagen!"

„Jack! Hou je kop, je bent hysterisch!" Ik overweeg hem een pets te geven, maar dat zou wel erg wreed zijn, zelfs voor mijn doen. „Je hebt bloed in je ogen en je zit ze dicht te knijpen, meer niet."

Jammerend begint hij zijn ogen open te wringen. En nu ik het meeste bloed heb opgedept, zie ik dat de wond niet al te diep is. Opluchting. Maar de randen zijn rafelig, ongeveer zoals de buik van een opengesneden vis. Er moet iets aan gedaan worden. „Jack, kun je staan?" Ik pak zijn arm beet. Hopelijk heeft hij niet ook een hersenschudding.

„Blijf van me af!" schreeuwt hij. „Laat me met rust, trut." Hij zit meelijwekkend te knipperen.

Ik maak een V-teken voor zijn gezicht. „Hoeveel vingers

steek ik op, Jack?"

„Twee. Met de t van trút!"

„Ben je duizelig?"

„Ja! Je hebt me net een dreun met een stuk hout gegeven. Wat dacht jij nou? Natuurlijk ben ik duizelig!"

Ik begin aan zijn arm te trekken. „Kom op, Jack. Je mankeert niks. Luister, het spijt me. Ik weet niet wat er gebeurde – ik wilde je geen pijn doen." Dat is een leugen van het zuiverste water, maar ik moet hem op de een of andere manier in beweging zien te krijgen. „Kom, we moeten naar de sportschool – daar kunnen ze je hechten. Het is niet zo erg als het aanvoelt, echt niet. Het ziet er heel onschuldig uit nu het niet meer zo bloedt. Ze geven je een hechting, het is zo weer genezen en dan heb je zo'n stoer litteken, net als van een duel…"

Eindelijk komt hij overeind, en we lopen verder over het jaagpad. Hij leunt een beetje op me en ik blijf maar zachte geluidjes maken, alleen om hem in gang te houden, hem troostend zoals ik vroeger deed wanneer ik hem moest opvangen als hij zich op de speeltuin had bezeerd.

Jemig. Dat lijkt eeuwen geleden.

Eenmaal in de sportschool blijkt dat we geluk hebben. De verzorger die meestal bij rugbywedstrijden aanwezig is, zit toevallig op zijn medische post. „Hm," bromt hij terwijl hij Jacks wond ontsmet. „Oppervlakkig. Ik krijg wel ergere dingen te zien op het veld. Ik zal er hechtpleisters op doen – er hoeft geen naald aan te pas te komen. Hoe kom je eraan?"

„Zij…" begint Jack.

„Hij is gevallen," onderbreek ik hem razendsnel. „Met zijn hoofd tegen een lantaarnpaal aan geknald."

De verpleger tuurt naar de wond, haalt een pincet uit een lade. „Er zit een splinter in."

„Het… het was een houten lantaarnpaal."

„Hm." Hij kijkt me achterdochtig aan. „Nou ja, aan die wond houdt hij niks over." Vlug en ervaren verbindt hij Jacks hoofd. „Laat ik voor alle zekerheid maar even kijken of hij geen hersenschudding heeft." Hij test Jacks gezichtsvermogen, draait zijn hoofd van links naar rechts en geeft hem dan een klopje op zijn schouder. „Niks aan de hand. Ga maar naar huis. Sla de training vandaag maar een keertje over."

„Nee hè!" snuift Jack. „Als ik vandaag niks doe, loopt mijn hele programma in de war…"

„Doe niet zo maf," zegt de man laconiek. „Zeg, zal ik een taxi voor je bellen?"

„Nee," antwoord ik. „Ik breng hem wel naar huis. Je kunt wel wat frisse lucht gebruiken, hè Jack?"

En ik sleur hem de deur uit voordat hij er iets tegen in kan brengen. Ik wil de tijd die het kost om thuis te komen gebruiken om hem over te halen me niet te verlinken bij mam.

Maar hij moet niets van me hebben. Ik mag zijn arm niet vastpakken zoals op de heenweg naar de sportschool, hij zegt geen boe of bah, en naarmate hij opknapt, begint hij steeds harder te lopen en schelden. „Ik had het tegen hem moeten zeggen," tiert hij. „Ik had Mike moeten vertellen dat jij het was!"

„Wat nou? Toegeven dat je door je zus in elkaar bent geslagen? Toe nou, Jack, zand erover, oké?"

„Vergeten dat je hebt geprobeerd me te vermoorden? Bekijk het maar," snauwt hij. „Bekíjk jij het maar." Dan komt hij abrupt tot stilstand bij het hek boven de gezonken sloep. „Kijk!" brult hij. Zijn wijzende hand trilt van woede. „Kijk dan, verdomme!"

Schuldig schiet ik naar het hek. De eenden – die was ik helemaal vergeten.

Ik kijk omlaag en zie de sloep. De grote eend zit tevreden op

Jacks drijvende schuurdak, een toonbeeld van moederlijke kalmte. Van onder haar vleugel komt een klein donzig kopje te voorschijn en kruipt weer terug. Ik speur het water af. Geen pulletjes; ze zitten alle drie onder haar vleugels. En ik weet dat wanneer het vloed wordt, het schuurdak traag omhoog zal drijven tot de rand van de boot en ze alle vier vrolijk weg kunnen zwemmen.

Ik realiseer me dat Jacks gezicht ongeveer twee centimeter van het mijne vandaan hangt, vertrokken van woede.

„Zie je nou wel! Ze mankeren niks!" En hij stormt door naar huis.

De ophef die thuis ontstaat, gaat alle proporties te buiten. Het eerste wat Jack – uiteraard – doet, is mijn misdaad in geuren en kleuren aan pap en mam vertellen. En die reageren volkomen voorspelbaar.

Mam knijpt vol afkeer haar ogen dicht en weigert het te geloven. „Hoe kun je zoiets nou doen, Rowan? Ik begrijp gewoon níét hoe je zoiets kunt doen! Ik snap best dat je boos was over die eenden, maar om Jack zo hard te slaan dat hij medische hulp nodig heeft…"

Paps gezicht staat ernstig, en hij probeert pijnlijk genoeg wat meer begrip op te brengen. „Dit ging niet alleen om die eenden, hè Rowan? Ik weet dat je gespannen bent voor je examens, maar er klopt ook iets niet in je verstandhouding met Jack. Daar moeten we maar eens serieus over praten."

Hun ogen staan vol bezorgdheid en angst. Ze staan er allebei op dat ik het úítleg. Maar dat kan ik niet, althans niet zo dat zij er tevreden over zouden zijn. Ik mompel wat over zijn arrogantie en hoe hij die eenden had kunnen vermoorden en hoe er bij mij gewoon iets knapte. Ik sputter dat ik hem helemaal niet zo hard heb geslagen en dat hij op het rugbyveld wel hardere klappen krijgt. Ik wil zeggen dat ik er spijt van heb, maar ik krijg het niet uit mijn strot. Ineens ben ik het zat, al die heisa, en ik rammel van de honger. Ik vraag hoe laat het eten klaar is.

Fout!

Ze wisselen een veelbetekenende blik uit, ontzet dat ik zo kil en harteloos ben. Zoals ze me aankijken zou je denken dat ik een lustmoordenaar ben die halverwege een slachting een pizza bestelt. Er valt een ijzige stilte, en dan zegt pap verwijtend: „Jáck zal wel geen trek hebben, denk ik."

„Ja, wél!" roept Jack, die tot nu toe zelfvoldaan en zwijgend aan tafel heeft gezeten. „Ik bedoel…" verbetert hij zichzelf snel, „ik zal probéren iets naar binnen te krijgen. Al weet ik niet of ik kan kauwen met die pijn in mijn kaak."

„O, hou toch je kop, aansteller!" schreeuw ik. „Had ik je kaak maar gebróken!"

„Rówán!" roept mijn moeder geschokt. Ze gaat achter Jack staan, legt troostend een hand op zijn schouder. Hij meesmuilt. Zijn witte verbandje gloeit als een ereteken van martelaarschap.

„Ik begrijp niet wat er met jou aan de hand is, Rowan," zegt mijn vader bedroefd.

En dan knapt er iets in mijn hoofd. „Níks!" brul ik. „Er is níks met me aan de hand! Ik heb gewoon gedaan wat ik altijd al heb willen doen met dat verwaande rotjong! En nee, het ging niet alleen om die eenden. Zoals hij die eenden behandelt, zo behandelt hij iedereen: 'O, ik ben zo goed, ik ben zo geweldig, ik loop zo over je heen, jammer voor je.' Misschien moet dat bij rugby, maar ík word er ziek van! Ik ben er kotsmisselijk van en ik baal ervan en dát heb ik voor een keertje laten merken! En weet je wat? Het voelt heerlijk! Als je denkt dat ik ga zeggen dat ik er spijt van heb, kunnen jullie lang wachten. Ik zou het zó weer doen!"

Er valt een oorverdovende stilte. Ik stuif de kamer uit, gris mijn portemonnee en sleutel van de tafel in de hal en smijt de deur achter me dicht als ik het huis uit ga. Aan het eind van onze straat kijk ik of niemand me achterna is komen rennen, en het doet haast geen pijn wanneer ik zie dat dat niet zo is. Ik loop de hoofdstraat in en ga bij de pizzeria op de hoek naar binnen. Vastberaden loop ik naar een leeg tafeltje en plof neer. Wanneer de ober komt bestel ik een dubbele portie spaghetti carbonara, een mandje knoflookbrood en een gemengde sala-de. En wanneer hij het komt brengen, prop ik me helemaal vol.

Ik stérf van de honger.

3

Ik zal niemand wijsmaken dat het slim is om je broertje met een houten balk voor zijn hoofd te meppen. Ik wil niet suggereren dat het je ontwikkeling op een of andere manier ten goede komt – of zelfs bevrijdend werkt. Maar er veranderde iets wezenlijks in me toen ik die balk optilde en doorzette. Het was alsof er een blokkade werd opgeheven, alsof mijn echte ik weer tot leven kwam. Alsof ik werd aangesloten op een energiebron waarvan ik niet eens wist dat ik die in me had.

En vanaf dat moment was alles anders.

Mijn gevoelens over het examen bijvoorbeeld. Het was nog maar twee korte dagen weg, maar die avond, na mijn schranspartij bij de pizzeria, slaap ik als een blok. De volgende dag sta ik op en lees ik in mijn pyjama de notities door waarvan ik dacht dat ze waardeloos waren. En ik kom erachter dat ze helemaal niet zo onzinnig zijn. In feite begint alles in mijn hersenen op zijn plaats te vallen. Heel veel van de stof heb ik allang onder de knie! Ik kleed me aan, lees het uittrekselboek dat ik heb gekocht. Niet alleen kan ik het volgen – het glijdt soepel mijn hersenen in. Alsof er ineens een hele zak kwartjes valt.

Ik laat het uittrekselboek zakken. Mijn hersens lijken te zoemen. Ik ijsbeer door mijn kamer, blijf staan voor de spiegel. Mijn gezicht ziet er anders uit, alsof ik weet waar ik mee bezig ben, alsof ik voor de verandering de touwtjes in handen heb. Dat examen ga ik halen, hou ik mezelf voor. Het is geen wereldschokkend gebeuren en ik word niet afgeschoten als ik geen voldoende scoor. Maar ik haal wel een voldoende.

Mam heeft een halve dag vrij. Ze behandelt me omzichtig, alsof ik een hondsdolle pitbull ben. Ze is vast bang dat ik op de rand van een zenuwinzinking sta en het examen zal missen en steeds verder zal afglijden, tot ik als heroïneverslaafde eindig of zoiets. Ze zou het liefste willen weten of ik echt zit te studeren of dat ik toch schuimbekkend op mijn bed lig te ijlen. Maar ik verlos haar niet uit haar lijden; ik negeer haar. Ik zeg alleen „Ja, graag," wanneer ze me 's middags vraagt of ik een boterham wil.

Om drie uur neem ik een pauze en loop terug naar de rivier. Het is weer eb en vloed geweest; het schuurdak ligt aan de andere kant van de sloep en het eendengezinnetje is verdwenen. Ik speur het water af maar zie ze nergens. Ik zet mijn ellebogen op het hek en stel me voor hoe ze allemaal over de rand van de sloep drijven. Op de een of andere manier weet ik dat ze veilig zijn. Ik zie nog steeds voor me hoe ze het brood opschrokten, hoe ze vredig op het vlot dobberden.

De balk waarmee ik Jack heb geslagen, ligt aan mijn voeten op het jaagpad. Ik pak hem op, herinner me hoe het voelde naar hem uit te halen en lach. Dan laat ik hem over het hek in het water vallen, als een soort offer aan de schikgodinnen.

Aan de slag maar weer. Tegen acht uur die avond lig ik zo ver voor op mijn schema dat ik tijd heb om een kaartsysteem voor mijn aantekeningen aan te leggen. Ik heb nog niet alles onder de knie, bij lange na niet als ik eerlijk ben, maar met een beetje geluk – en ergens weet ik dat ik geluk zal hebben – kan ik over elk onderwerp wel een vraag beantwoorden.

Ik werk een enorm bord warm eten weg, me afsluitend voor het gebabbel aan tafel. Ik ga vroeg naar bed en val in slaap met de wens dat ik Jack al aan het begin van de examenperiode voor zijn kop had geslagen, zodat ik al mijn aantekeningen in deze nieuwe, heldere gemoedstoestand had kunnen maken. Joost mag weten wat een psychiater ervan zou brouwen.

De volgende dag ben ik iets minder dynamisch, maar werk nog steeds hard en slaap die nacht goed. En het examen de dag erop verloopt prima. Eén antwoord bestaat uit onzinnig gewauwel, maar met mijn nieuwe, assertieve instelling kan ik zelfs dat gewauwel overtuigend laten klinken.

Ik ben zo blij, dat ik mezelf na afloop een hele dag vrij geef. Ik neem geen bááldag, maar geef mezelf een vríje dag. Als een cadeautje.

Tijdens die vrije dag merk ik dat er behalve mijn eigen houding nog iets fundamenteel is veranderd – de houding thuis tegen-over míj. Die van Jack is nog het gemakkelijkst te omschrijven: hij behandelt me als lucht. Hij kijkt strak voor zich uit als hij me in de gang voorbijloopt, wandelt in de keuken met een boog om me heen, doet alsof hij me niet ziet wanneer ik in de woonkamer zit. Ik vind het best. Eerst beledigde hij me alleen maar, dus het is een prettige verandering.

Bij mijn vader en moeder ligt het iets gecompliceerder. Ze zijn nog steeds ontsteld, en maken zich daarbovenop steeds meer zorgen. Vroeg die avond hoor ik ze op gedempte toon over me praten: rivaliteit tussen broer en zus, examenvrees, ze is zichzelf niet, zo lief voor hem toen ze klein was. Ze houden me angstvallig in de gaten.

Er doet zich één komisch voorval voor. Ik sta met mijn rug naar de keukendeur toe een boterham te smeren met het broodmes, en er komt iemand binnenlopen. Ik draai me om, zie dat het Jack is, en mam (die achter hem staat) gilt: „Rowan! Nee!"

„Wat nee?"

„Leg dat mes neer!"

„Wat? Ik smeer een boterham!"

„Ja, maar..." Ze aarzelt, probeert zich vlug te herstellen. „Daar heb je toch niet zo'n groot mes voor nodig!"

„Ik heb er net brood mee gesneden en ik had geen zin weer een ander uit de lade te halen." Ik begin te lachen. „Je dacht dat ik Jack neer wilde steken, hè?"

„Doe niet zo raar, lieverd."

„Je dacht dat ik zijn keel wilde doorsnijden. Zijn buik openhalen, kijken hoe zijn ingewanden op de grond zakten."

„Rowan! Hou op – alsjeblieft!"

„Jij bent ziek," gromt Jack. „Ze moeten je opsluiten!"

„O ja? Waarvoor? Voor moord?" En ik loop met het mes nog in mijn hand op hem af.

„Rowan!" krijst mam keihard. „Leg dat mes neer!"

Mijn trommelvliezen knappen zowat. Ze is písnijdig op me. Maar de aanblik van Jack die angstig achteruit de keuken uit vlucht en met een dreun tegen de eikenhouten tafel in de hal botst, maakt het allemaal de moeite waard.

Na een gespannen, zwijgzame avondmaaltijd loop ik zonder aan te bieden de afwas te doen naar de telefoon. Een kwartier later heb ik wat mensen opgetrommeld voor een drankje bij *The Link*, zo'n beetje de enige kroeg in ons stadje die nog niet a) door gepensioneerden is gekoloniseerd of b) in een hippe yuppenbar is veranderd. Zonder tegen iemand te zeggen waar ik heen ga, loop ik de deur uit.

Mijn beste vriendin Mel staat net aan de bar wanneer ik aankom; ze omhelst me een bestelt iets te drinken voor me. „We zitten buiten. We hebben een grote tafel bemachtigd. Het is er eindelijk eens warm genoeg voor."

„Ja, lekker. Waarom moeten we nou precies in die paar dagen dat het hier zomer is allemaal examens doen?"

Mel schudt haar hoofd, en we lopen naar buiten. In de tuin klimt kamperfoelie tegen de muren; het ruikt heerlijk. Vijf vrienden van me – mensen met wie we al vanaf de lagere school omgaan – zitten onderuitgezakt rond de tafel. We zijn bijna allemaal in dezelfde bovenbouw beland, maar daar maak je geen vrienden zoals in de onderbouw. Daar heb je net tijd om – in mijn geval – twee tot mislukking gedoemde, hopeloze relaties te hebben. De eerste duurde drie weken, die met Billy vijf maanden. Tjonge, wat was Billy saai. Zelfs de seks was saai. Vooral de seks, eigenlijk, toen de nieuwigheid er eenmaal af was voor me.

We wisselen nieuwtjes uit, klagen zoals gebruikelijk over de examens en beloven elkaar dat we niet straalbezopen zullen worden, omdat we morgen moeten werken. En dan zeg ik: „Ik denk dat ik misschien toch een tussenjaar doe."

Ik weet niet waar dat vandaan kwam, maar nu het eruit is weet ik dat ik er eens over na zál gaan denken.

„Er een poosje tussenuit," zegt James met een knikje. „Verstandig."

James is zo'n beetje mijn beste vriend. Op school heeft hij bergen meiden achter zich aan, en hoewel ik best snap wat ze in hem zien, is hij mijn type niet. Ik ken hem al veel te lang: sinds hij een sullig jochie was in de brugklas.

Mel zit me op te nemen. „Maar Ro," zegt ze, „je wilde toch per se meteen door naar de universiteit?"

„Weet ik."

„Vinden je ouders dat dan niet erg? Ik dacht…" Ze breekt haar zin af, zegt dan: „Ga je dan met mij en Annie mee naar Costa Rica om de schildpadden te redden? Er zal vast nog wel een plekje vrij zijn."

Ik glimlach naar haar. Mel, Annie en ik houden van alles met vacht, veren, en schubben of schalen. Op de basisschool verkochten we al spulletjes op rommelmarkten voor het Wereldnatuurfonds. Ze heeft nu haar zinnen gezet op een broedplaats van schildpadden in een natuurreservaat in Costa Rica, waar ze een deel van haar tussenjaar aan wil besteden. Ik heb met het idee gespeeld met haar mee te gaan, maar...

„Wat me tegenstaat," zeg ik, „is dat je moet betálen om te mogen werken."

„Tja, maar het is het vast waard. Eerst ga ik een halfjaartje in de supermarkt werken of zoiets, en ik zal mezelf dwíngen om te sparen."

„Dat is het nou precies. Ik wil nú weg. Zodra de examens achter de rug zijn."

Er valt een vreemde stilte aan tafel. Dan vraagt James: „Is er soms iets aan de hand, Ro?"

Ik drink mijn glas leeg. Zal ik ze over het eendenincident vertellen? Zal ik ze vertellen hoe het er de laatste dagen thuis aan toegaat? James en Mel staan altijd voor me klaar, luisteren naar mijn gejammer over Jack, beuren me op als ik het gevoel heb dat ik niet aan de verwachtingen van mijn ouders voldoe. Maar dan dringt er iets tot me door. Ik heb er geen behoefte aan het ze te vertellen. „Nee hoor, niks. Wie wil er nog iets drinken?"

Thuis loop ik rechtstreeks de trap op naar mijn kamer. Het is hier zo veranderd sinds ik de grens heb overschreden. Ik heb zo'n merkwaardig, zweverig gevoel van... vrijheid.

Ik ben net tien minuten binnen wanneer pap op mijn deur klopt met een kopje thee, een en al zorgelijkheid. Ik neem de thee aan, verzeker hem dat het prima gaat, en doe de deur min of meer voor zijn neus dicht.

En het gaat ook prima met me. Terwijl ik op bed zit en mijn thee opslurp, realiseer ik me dat de grootste verandering bij míj zit. Het laat me allemaal koud. Voorheen liep ik me het vuur uit de sloffen om alles goed te doen, het iedereen naar de zin te maken, de lieve vrede te bewaren. Het hele gezin behandelt me alsof ik op elk moment weer kan ontploffen; in plaats van ze te willen geruststellen, geniet ik ervan. Voor het eerst in mijn leven krijg ik iets wat bij respect in de buurt komt.

4

Nog drie examens te gaan. Aan de ene kant wil ik de boel gewoon laten versloffen en zien wat ik ervan terechtbreng – of misschien zelfs niet eens komen opdagen. Maar aan de andere kant geloof ik in mijn nieuwe aantekeningentechniek. Ik hou het vol, en de examens gaan me redelijk goed af.

Dan ben ik écht vrij. Vrij op een manier die ik nooit eerder heb meegemaakt. Het is een eigenaardige sensatie, alsof iemand het dak van je schedel licht en alles er ineens uit waait. En nadat het stof eruit is geblazen, begint alles weer op zijn plaats te vallen. Ik zie alles helderder.

Het draait allemaal om druk, hè? Eindeloze druk. Niet alleen van mijn ouders, hoewel zij er grootmeesters in zijn, maar van iedereen, overal. Druk om te presteren op allerlei gebieden. Soms lijkt mijn leven me een persoonlijkheidstest uit een tijdschrift. *Neem je je verantwoordelijkheid? Kruis aan: ja, nee, weet niet/geen mening. Ben je gemotiveerd? Ben je populair? Ben je knap? Heb je succes? Ben je de lucht die je inademt waard?*

Tel de punten op. Helaas – je hebt de laagst mogelijke score. Maar laat je niet uit het veld slaan. Gebruik je mislukkingen, leer ervan! Verander je eetpatroon radicaal, doe onze populariteitstraining, volg een cursus tijdsindeling, neem het heft in handen, stel jezelf doelen, zie er fantastisch uit, presteer, presteer, presteer...

Jemig, wie zit daar nou op te wachten? Ik wil mijn leven leiden als een léven, niet als een of andere stomme prestatieloop. Ik wil er ontspannen tegenaan leunen, rondkijken en van het uitzicht genieten. Ik wil voelen wat ik voel, in plaats van me constant af te vragen hoe ik overkom. Ik wil uitzoeken wat ik wil, wie ik bén.

Het idee er een jaar tussenuit te gaan neemt steeds vastere vorm aan. Ik realiseer me dat ik op veilig speel als ik meteen doorstoom naar de universiteit – een paar weken rugzakvakantie in een warm land en dat is het dan. Iets doen wat er van de buitenkant goed uitziet, waarvoor ik me alleen maar aan regels en roosters hoef te houden, iets wat mijn ouders goedkeuren.

Ik begin te overwegen een risico te nemen, de sleur te doorbreken. Ergens heen gaan waar alles nieuw is, en dan wel zien waar het schip strandt. Niet langer stilstaan bij hoe ik van buiten overkom, maar me alleen nog bezig houden met wat er binnenin me gebeurt. Ik schrik een beetje van mijn eigen gedachten, maar vind het vooral een heel spannend idee.

Misschien durf ik het wel door te zetten.

Drie dagen na mijn laatste examen komt er een hittegolf. Vroeg die avond heb ik met James afgesproken in een van de cafés langs de rivier. Hij heeft werk als dozenvouwer in een fabriek, en hij bulkt van het geld. Hij trakteert op een biertje en zegt dat hij mij daar ook wel aan een baantje kan helpen als ik wil.

„Ik kan de energie niet missen," zeg ik.

„Hoe bedoel je?"

„Ik steek al mijn energie in het plánnen maken. Ik moet uitpluizen wat ik ga doen. Want ik ga hier weg. Zodra ik eruit ben, ben ik weg."

„Goh, vertel eens."

„Nou, er valt nog niet veel te vertellen. Alleen het besluit dat ik wegga is al eng genoeg." Ik staar naar het water en flap er dan uit: „Ik doe al mijn hele leven wat ik hóór te doen. Ik heb nooit gedaan wat ik zelf wilde, ik ben nooit gewoon mezelf geweest. En ik denk dat als ik er eens tussenuit kan, ergens heen ga waar niemand me kent, niemand me beoordeelt, ik… ik alles over me heen kan laten komen, kan ontdekken wie ik ben. Sorry dat ik net een hippie lijk, maar zo zit het."

Na een wat verblufte stilte zegt James: „Goed zo, Ro! Waar ga je heen?"

„Dat is het nou juist. Ik heb geen flauw idee."

„Aha. Ach, gewoon gaan. Erop uit trekken, zien waar de wind je heen blaast."

„Wie klinkt er nu als een hippie?"

„Richting Thailand of zo, en daar een baantje zoeken…"

„Ha, in de seksindustrie? Nee, dank je, zeg. Luister eens, James, we hebben het wel over míj. Ik ben te laf om zomaar te vertrekken, dat is juist het probleem. Ik wil weg, maar ik durf niet in het diepe te springen, snap je? Ik moet weten wáár ik heen ga. Zielig, hè?"

„Nee, verstandig."

„Dat is toch ook zielig?"

„Niet waar. Hé, weet je wat jij moet hebben – werk waarbij je intern kunt wonen!"

„Hm. Maar voor dat soort werk moet je iets kunnen, hè. En ik kán niks. Ik heb geen ervaring, ik heb nog nooit gewerkt, niet echt. Dat baantje in die boetiek moest ik na drie weken opgeven omdat mijn moeder vond dat het ten koste ging van mijn huiswerk…"

„Oppassen."

„Hè?"

„Mijn moeder roept altijd dat jij de beste oppas bent die ze ooit heeft gehad. Zelfs als ík tijd heb om op die snotapen te passen, belt ze jou. Ronduit beledigend. Haar eigen zoon is niet goed genoeg."

„Oppassen…"

„En Janes moeder – die vindt jou ook fantastisch. En die van Tom ook. Denk maar na, Ro, je verdient er al tijden extra geld mee. Al die ouders die je bij anderen aanbevelen. En kinderen zijn dol op je. Je lijkt kinderen zelfs best leuk te vinden."

„Ja, ja, goed met kinderen, slecht met mannen – dat ben ik. James, oppassen is geen báán!"

„Wel als je jezelf kinderjuf noemt. En als au pair krijg je er woonruimte bij. Het is een prima manier om er tussenuit te knijpen. En wanneer de koters slapen, heb je tijd te over om op jacht te gaan naar mannen... Ro, dit is geniaal. Serieus, ik wil provisie."

„Maar voor kinderjuf heb je een ópleiding nodig. Je moet een cursus volgen, diploma's halen..."

„Weet je dat zeker? Volgens mij kun je met referenties van mensen als mijn moeder een heel eind komen. En wat dacht je van Janes oom, die árts is – daar heb je toch ook opgepast?"

„Heel vaak!"

„Volgens mij kom je met zulke referenties een heel eind. Ik bedoel, au pairs hoeven toch ook geen cursus te volgen, of wel? En mensen vertrouwen ze hun kinderen toe. Je kunt ouwe Markham ook zo om een referentie vragen. Over hoe betrouwbaar je bent."

De 'ouwe Markham' is de directeur van onze school. Hij weet vast niet zo een twee drie wie ik ben, maar toch... „James, je bent geweldig! Dit zou het best eens kunnen zijn!"

„Je moet wat van die bemiddelingsbureaus afbellen, uitzoeken wat ze vragen. En bedenken waar je heen wilt. Als je je Frans niet wilt verbeteren..."

„Welk Frans?"

„Dan kun je naar Australië, of naar Amerika..."

„Amerika..."

„Ja?"

„Dat… dat lijkt me gewoon de beste plek om te verdwijnen. Om nergens bíj te hoeven horen. In Australië zou ik helemaal sportief en gezond moeten worden en gaan surfen en alles."

James lacht, tikt zijn lege glas tegen het mijne, pakt het uit mijn hand en loopt naar binnen om een nieuw rondje te halen.

Ik staar voor me uit en besef dat ik op een keerpunt sta.

Daarna gaat alles met verbazingwekkende snelheid. Ik speur op internet alle internationale au-pairbureaus af. Ik maak een lijstje, en de volgende ochtend vroeg bel ik ze een voor een op. Bij de me meeste word ik onverbiddelijk afgewezen omdat ik 'maar een oppas' ben. Ze willen kwalificaties – of in elk geval ervaring. Een paar zeggen dat ik als au pair aan de slag zou kunnen, maar 'bij de salariëring wordt ervan uitgegaan dat je een deel van de tijd naar school gaat'. Met andere woorden: je verdient een hongerloontje.

Dan krijg ik een glimpje hoop. Ik bel een bureau dat ik de eerste keer had overgeslagen, vooral door de kleffe leus waarmee ze adverteren: *Nursery Sprites – uw crèche aan huis.*

De vrouw aan de andere kant van de lijn zegt niet meteen dat ik het wel kan vergeten. „Flexibele service bieden," vertrouwt ze me op stroperige toon toe, „zowel aan werknemers als cliënten, staat bij ons hoog in het vaandel. De achtergrond en beroepskwalificaties van al onze meisjes worden degelijk onderzocht, opdat we ze met volledige waarborg kunnen inzetten. Maar we hebben ook verschillende meisjes geplaatst die niet volledig gediplomeerd kinderjuf zijn. Zogenaamde au pairs. Ze hebben minder verantwoordelijkheid en krijgen meer steun van het gezin waar ze verblijven." Met andere woorden: je wordt er niet rijk van. Aan het eind van het gesprek hebben we afgesproken dat ik bij haar langs ga. Morgen al! Kom maar op!

„Mel, het gaat gebeuren! Ik ga wég!" roep ik door mijn mobieltje. „Over vijf dagen. Nou ja, als ik die referenties krijg, maar dat gaat lukken. Wauw, ik kan het nog bijna niet geloven!"

Ik sta voor het metrostation midden in het centrum en probeer mijn uitzinnige opwinding te beheersen. Ik ben net uit het kantoortje van *Nursery Sprites* gekomen. En niet alleen heb ik een baan als au pair in Seattle te pakken, maar ik kan ook al volgende week beginnen. Zodra het bureau de noodzakelijke controles heeft gedaan, om zich ervan te verzekeren dat ik geen strafblad heb wegens gewapende overvallen of het illegaal verhandelen van kinderorganen.

Mel vuurt vragen op me af. Ook zij kan het nauwelijks geloven. „Man, ik had nooit gedacht dat het zo snél zou gaan! Ik bedoel... Weet je zeker dat het klopt? Is het wel legaal en zo?"

„Tenzij die vrouw een enorme oplichtster is wel, ja. Ze hebben dat echtpaar grondig onder de loep genomen. Ze hadden al een au pair voor die mensen gevonden, maar die kreeg op het allerlaatste moment een beter aanbod en heeft ze laten zitten. Het gezin heeft maar één kind, een meisje van vier. Haar ouders doen allebei iets met marktonderzoek, en ze betalen niet geweldig, maar ze wilden heel graag een Engels meisje, en nou ja, het is een begin, hè? Ik krijg mijn eigen kamer, en al mijn eten en de vlucht worden betaald. En ze regelen een werkvergunning voor me en geven me een open ticket voor de terugreis, dus als het niet goed gaat..." Ik ratel door, vertel Mel alle details, en ze is het met me eens dat het fantastisch klinkt.

En dan stelt ze de loodzware vraag: „Heb je het al aan je ouders verteld?"

„Als kindermeisje."

„Ja! Wat is daar mis mee?"

„Niets. Het is alleen…"

„Alleen wát? Zie je nou – dáárom heb ik het niet met jullie besproken. Ik wist dat jullie het te min zouden vinden."

„Rowan, hou je even in, wil je? We vinden het niet te min. We proberen je bij te houden! Hoe zit het dan met studeren, hoe zit het met…"

„Mijn studie kan best een jaar wachten."

„Goed, maar als je er dan even tussenuit wilt, dan kun je toch ook iets uitdagends gaan doen, iets waar je wat van óp-steekt…"

„Ik wíl niks uitdagends doen, ik hoef nergens wat van op te steken! Ik wil rust."

„Rust," herhaalt mam vol afkeer. Het voor haar totaal niet te begrijpen woord perst zich tussen haar opeengeklemde kaken door.

„Ja. Ik wil rust, ik wil ruimte."

„O hemel, Rówan!"

„Zie je nou wel!" schreeuw ik half gekwetst, half triomfante-lijk. „Het is zeker niet apart genoeg voor je, hè? Als ik een jaar lang wegging om het regenwoud te beschermen of stage ging lopen bij een ondergrondse krant in een dictatuur, zou je staan te juichen, maar op kinderen passen – dat is te gewoontjes, hè? Niet uitdágend genoeg. Nou, jammer dan. Zolang ik hier maar weg ben."

Mam werpt me een blik toe alsof ik een taart in haar gezicht heb gegooid. Pap heft zijn handen als een smekeling in de lucht. „Rowan, waarom ben je zo kwaad op ons?"

„Ik bén niet kwaad!" brul ik, en ik stamp naar mijn kamer.

De storm gaat weer liggen. Wanneer ze eenmaal hebben geac-cepteerd dat ik wegga, lijkt het zelfs bijna alsof ze me aanmoe-digen. Mam helpt me mijn inschrijving voor de universiteit een jaar op te schorten. Pap neemt mijn contract door en raadt me aan in Seattle zo snel mogelijk een bankrekening te openen, zodat hij geld over kan maken als ik te kort mocht komen. Mam neemt me mee uit winkelen voor 'praktische kleding die een stootje kan hebben, voor als je een kind moet verzorgen' en ze sputtert niet eens tegen wanneer ik absoluut ook wat leuke, onpraktische dingen wil hebben. Allebei zeggen ze steeds dat ze me zullen schrijven, en dat ik op hun kosten moet bellen als ik zin heb om te praten. Zelfs Jack zegt heel af en toe iets aardigs tegen me.

Het zou prettig zijn, als het niet om de verwachtingsvolle sfeer in huis was, een sfeer van opluchting, alsof er niet alleen bij mij een zwaar gewicht van mijn schouders gevallen is. Opluchting dat ze eindelijk een tijdje van dat moeilijke kind, de rotte appel in de mand, af zullen zijn.

Mijn laatste paar dagen in Engeland ben ik braaf met voorbereiden en inpakken (één grote koffer en mijn oude schoolrugtas als handbagage), afscheid nemen van vrienden en vooral met proberen niet te veel na te denken. Op nadrukkelijk advies van *Nursery Sprites* bel ik mijn nieuwe werkgever, mevrouw Bielicka, twee dagen voor de vlucht op om mijn komst te bevestigen. Het is een kort, lichtelijk hysterisch gesprek over hoe geweldig het allemaal zal worden en hoe we er allemaal naar uitkijken en hoe zij ervoor zal zorgen klaar te staan op de luchthaven.

En dan zit ik op een tien uur durende vlucht naar Seattle. Een poosje slaap ik onrustig, mijn nek verkrampt, en ik droom in enge flarden iets over in de steek gelaten worden, doodsbang, op een eindeloos lange weg… Wanneer ik wakker word daalt er een heerlijke kalmte over me neer. Er is geen weg terug, dus het heeft geen zin nog langer te piekeren. Terwijl ik naar de wolken staar, herinner ik me een spelletje dat ik als kind vaak speelde. Ik was een wisselkind, een prinses die door boze elven uit de wieg was gestolen en haar echte ouders terug moest zien te vinden.

Het vliegtuig landt en ik volg de menigte door een lange, grijze slurf. Mijn hart bonkt van angst om alles wat er mis kan gaan. Mijn koffer is natuurlijk kwijt, ik word tegengehouden bij de douane, mijn papieren kloppen niet, ik word gearresteerd... Met dichtgeknepen keel wankel ik eindelijk de aankomsthal in, ervan overtuigd dat er niemand is om me op te halen.

En dan zie ik mijn naam staan, vlak voor me. *Rowan Jones*. In zwarte letters op geel karton. Vastgehouden door een magere, stijlvol geklede donkerharige vrouw met een brede glimlach op haar gezicht.

Verslapt van opluchting waggel ik naar haar toe.

Deel 2

Vlucht uit Seattle

Als ik niet verliefd was geworden op een leguaan, was ik niet midden in de nacht bij mijn gastgezin weggelopen, en dan had ik nooit de allermooiste jongen van Amerika ontmoet en was ik nooit samen met hem op een bus dwars door Amerika gestapt...

5

„Rowan! Hallo!" roept de vrouw terwijl ze met haar knokige vingers met roodgelakte nagels mijn klamme hand vastgrijpt. „Ik ben Sha Bielicka. Welkom."

„O, mevrouw Bielicka, hallo!"

„Sha, zeg maar Sha! Dat formele gedoe is nergens voor nodig, hè?"

„Eh…"

„Ik had Flossy mee willen brengen om jullie aan elkaar voor te stellen. Ze bleef maar jengelen of ze mee mocht. Maar het leek me beter als wij saampjes eerst een uurtje kletsten om elkaar wat beter te leren kennen."

Ik geloof dat ik Sha wel mag. Ze lijkt wat opgefokt, maar dat ben ik ook. Het is ook nogal wat, deze eerste kennismaking.

„Als we je spullen even in de kofferbak gooien, dan gaan we koffie drinken, misschien met een hapje eten erbij. Dat smerige vliegtuigvoer heb je natuurlijk niet aangeraakt, toch?"

„Eh… nee," lieg ik. Ik heb het tot de laatste kruimel weggewerkt. „Ja, goed idee."

„Goed, dan gaan we naar de auto, hè?"

Ik strompel met mijn doorzakkende bagagekarretje achter haar aan. Ze is zo ontzettend chíc. Ze is superslank, haar schoenen passen precies bij de handtas… Als marktonderzoekster moet ze ook wel chic zijn, bedenk ik. Ze zal wel een bepaald imago moeten uitstralen.

Het eerste wat ze doet wanneer we bij de auto zijn, is me

haar mobieltje geven, zodat ik naar huis kan bellen en tegen mijn moeder kan zeggen dat ik ben opgehaald. Aardig, maar ik voel me opgelaten als ik met mam praat, terwijl ze pal naast me staat. Terwijl we het parkeerterrein af rijden vertelt ze over Flossy. „Florence heet ze voluit. We wilden een mooie ouderwetse, Engelse naam – we zijn gek op Engeland! Bloeiend betekent het, in bloesem. En die naam is haar op het lijf geschreven, want ze is het liefste kind dat je je kunt voorstellen, echt. Beetje druk soms, maar ze is zó lief en gevoelig. Ik weet zeker dat ze je aardig vindt."

Ik staar uit het raampje, probeer de juiste geluiden te maken. Ik slorp het uitzicht op. Net als thuis zie ik straten, huizen, kantoren, maar alles is anders, het is een wereld van verschil. Groter, breder, nieuwer, meer rúímte… Ik ben in Amerika, denk ik. Amerika, het land van de vrijheid.

Ik ben vrij!

We stoppen voor een trendy uitziende lunchroom, gaan naar binnen en worden naar een tafeltje gebracht. Sha schuift het menu naar me toe: „Neem maar wat je lekker vindt!" Zelf kijkt ze niet op de kaart. Wanneer de ober komt, bestelt ze alleen een zwarte koffie. Ik slik en verander de biefstuk met frites die ik had willen bestellen in een kleine salade, om te vermijden dat ik overkom als een vreetzak.

„Zal ik even vlug opnoemen wat ik van je verwacht?" vraagt ze met een stralende glimlach.

„Eh… ja graag."

En ineens schiet ze in de hoogste versnelling, vuurt woorden op me af als kogels. „Ik maak Flossy om half acht wakker. Om kwart voor acht vertrek ik naar mijn werk. Dus jij moet het overnemen zodra we onze ochtendknuffel hebben gehad, zodra ze naar de badkamer gaat. Dat is ontzéttend belangrijk. Ik kan niet hebben dat ze zich aan me vastklampt, dat ze gaat jengelen, begrijp je?"

„Eh... oké."

„Je wast haar, kleedt haar aan, maakt ontbijt voor haar klaar en gaat om half negen op weg naar school zodat je er ruim voor negenen bent."

„School?"

„Peuterklas," sist ze, en de lucht lijkt wat kouder te worden. „'s Ochtends van negen tot twaalf. Al zijn we er niet helemaal gelukkig mee. Misschien halen we haar er vanaf."

„O, wat jammer..."

„Ze begríjpen haar niet, dat is het punt. Ze nemen niet de moeite haar goed te leren kennen. Ik heb ze al zó vaak op hun fouten gewezen." Sha's gezicht is kil en bitter geworden.

Als ik een gediplomeerde kinderjuffrouw was, iemand die boeken over pedagogie en psychologie had gelezen, zou mijn brein nu verschrikt naar de probleemhoofdstukken aan het einde bladeren. Maar ik ben geen gediplomeerde kinderjuffrouw, dus het enige wat ik zeg is: „Is die peuterklas dan de hele zomervakantie door open?"

Sha kijkt me aan alsof ik een ongelooflijk stomme vraag heb gesteld. „Ja, natuurlijk. Mensen moeten hun kinderen toch ergens kunnen laten wanneer ze aan het werk zijn?"

„Natuurlijk," echo ik vleierig. Ik vind het nogal laag je kind in de zomervakantie naar school te sturen, maar ik wil graag met Sha op goede voet komen, dus ik glimlach attent en vraag: „Wat voor dingen doet ze daar?"

„O, van alles en nog wat. Het onderwijspakket is heel gevarieerd. Het is de persóónlijke benadering die ons tegenvalt. Maar ja, voorlopig moet het maar zo. Een van de redenen dat ik deze school heb gekozen, is dat het op loopafstand is. En wandelen is zó goed voor een kind."

„O ja, prima lichaamsbeweging."

„En zo'n nuttig tijdvak ook. Ik wil graag dat je die tijd gebruikt om de tafels van een tot tien te leren, of liedjes te zingen, of haar erop te attenderen hoe de seizoenen veranderen. In de herfst kun je mooie bladeren verzamelen. Flossy houdt een natuurdagboek bij. Ik wil graag dat je haar daarin stimuleert, zodat ze niet achterop komt."

De glimlach die op mijn gezicht zit geplakt begint te barsten. Tijdvak? Natuurdagboek? Ik hoop dat ze zo in de lach schiet en zegt: „Grapje!" Maar dat doet ze niet.

„Van half tien tot half twaalf kun je Flossy's was doen, haar kamer opruimen en dat soort dingen, en af en toe zal ik je nog een klusje opgeven. Maar in wezen is dat jóúw tijd!" Ze kijkt me stralend aan, als teken dat ik nu dankbaarheid moet tonen. Heel laf straal ik terug. „Je haalt Flossy om twaalf uur uit school," gaat ze verder, „en dan neem je haar mee naar huis voor de lunch, of je gaat met haar picknicken als het goed weer is, of als ze een speelafspraakje heeft waarbij ze kan mee-eten breng je haar daarheen. Dan komt de middag. Muziekles op maandag, zwemles op dinsdag, woensdag vrij, donderdag ballet, vrijdag vrij. En als ik vrij zeg, bedoel ik een speelafspraakje of iets dat jij samen met haar hebt georganiseerd. O, en ze mag 's middags in géén geval een dutje doen. Dan is ze de hele nacht in de weer."

Allemachtig. Alleen al door het aanhoren van het dagprogramma ben ik uitgeput, en dat arme kind mag niet eens een dutje doen? Ik voel de paniek opborrelen. Ik doe niet langer mijn best positief over Sha te denken. Ik doe mijn best te blijven zitten en niet terug te rennen naar het vliegveld.

„Om vijf uur geef je haar haar avondeten, om zeven uur gaat ze naar bed. Meestal ben ik op tijd thuis om dat zelf te doen. Zo, nog vragen?"

„Eh…" Ik weet dat ik een vraag zou moeten stellen, al is het maar om te laten merken dat ik geïnteresseerd ben. Maar ik ben zo beduusd door Sha's uitleg dat ik niet helder kan denken. „Wat voor dingen vindt Flossy leuk om te doen?" blaat ik uiteindelijk. „In haar vrije tijd?"

Sha fronst, alsof ze ofwel niet weet wat haar eigen kind leuk vindt, of het niet relevant vindt. „Nou... naar een museum misschien, of een poppenkastvoorstelling bijvoorbeeld. Het zou fijn zijn als je ook met haar tekent en schildert, want ze is begaafd met kunst." Ze valt stil, vraagt dan: „Maar goed, geen vragen over haar programma dus?"

„Nee," zeg ik. „Het is duidelijk. Ik hoop alleen dat ik het allemaal kan onthouden..."

„O, maar ik heb het voor je opgeschreven!" roept ze, alsof het ondenkbaar is het níét op te schrijven. „Ik weet dat het een vreselijke waslijst lijkt, maar alles loopt zo'n stuk soepeler als je het goed organiseert, vind je niet?" Ze neemt een slokje koffie. „Hoe is je salade?"

„Eh... heerlijk," mompel ik terwijl ik nog wat sliertjes geraspte wortel wegslik.

„In het weekeinde ben je uiteraard vrij. Dan zijn we met het gezin bij elkaar."

Ik slaak een beverige zucht van verlichting. Het weekeinde, dat was ik helemaal vergeten. Misschien komt het allemaal toch nog goed.

Sha kijkt op haar horloge. „We moeten verder. Taylor – mijn man – wil ook nog met je kennismaken, en hij moet vanavond de deur uit."

Ik leg mijn bestek neer en kom overeind. Tot mijn afgrijzen merk ik dat ik mijn tranen moet inslikken. Ze heeft helemaal níéts over mij gevraagd. Hou op, Ro, hou ik mezelf voor. Je bent gewoon moe. Je wilde dat mensen ophielden zich met je te bemoeien, je wilde ruimte. Nu zul je ervan genieten ook.

We lopen terug naar de auto en rijden vrijwel zonder iets te zeggen naar het appartement van de Bielicka's. Ten slotte draait Sha een oprit in die naar een ondergrondse parkeergarage leidt.

„Afschúwelijk, die parkeergarage," moppert ze. „'s Avonds waag ik me hier niet in mijn eentje, zelfs niet om naar de fitnessruimte te gaan."

Ik spits mijn oren. „Fitnessruimte?"

„Ja, hoort bij het complex, er is ook een buitenzwembad. Taylor gaat er wel eens heen. Daar verderop zit een ingang en…"

„Mag ik daar ook naartoe?"

Stilte.

„Ik vermoed van wel," antwoordt ze uiteindelijk. „Ik zal kijken of ik een pasje voor je kan regelen."

„Dat zou geweldig zijn!" zeg ik enthousiast.

Opnieuw stilte.

We gaan naar de lift , stappen in en schieten twee verdiepingen omhoog. Ze doet de deur van nummer 34 open.

Ik haal diep adem. Dit is het dan.

6

„Mám-míé!"

Een petieterig meisje in een felrood trainingspak, haar zwarte haar in staartjes net boven haar oren, komt theatraal op Sha af stormen. Die elegant door haar knieën zakt en haar dochters armpjes in een greep pakt die eerder dient om haar kleverige handjes weg te houden van haar keurige pak dan om moederlijke liefde te tonen.

„Floss!" koert ze. „Zullen we juf Rowan welkom heten en haar een lekkere knuffel geven?"

O nee. Juf Rowan. Gatver.

„Neeeee!" krijst Flossy, die haar gezicht tegen haar moeder aan drukt. „Nee, ik wíl niet!"

„Kom, Flossy, hier hebben we het over gehad, hè? We hebben afgesproken dat Flossy lief zou doen tegen juf Rowan…"

„Ik háát haar!"

„Toe, Flossy, dat is toch niet leuk voor juf Rowan, engel? Dat is toch akelig om te horen! En weet je wat? Het kan ook helemaal niet, hè? En waarom niet? Omdat je juf Rowan nog niet kent. Dus hoe kun je nou zeggen…"

„Allemachtig, Sha, hou op met dat gewauwel!" Een lichaamloze mannelijke stem doorbreekt Sha's monoloog. Dan komt de eigenaar van het gebulder in zicht – een flinke man met een dominante uitstraling en stekelig grijsblond haar.

„Taylor!" sist Sha vinnig, „wil je je alsjeblíéft niet bemoeien met…"

„Je betuttelt dat kind veel te veel. Geen wonder dat ze zo'n primadonna is."

„Taylor!"

„Ze is pas vier!" Hij tilt Flossy op en zet haar op zijn arm. „Jij behandelt haar alsof ze eerstejaars student psychologie is."

„Ik probeer haar zover te krijgen dat ze haar reacties afweegt, Taylor!"

„Schei toch uit. Ze is nog maar een kínd."

Sha draait haar ontredderde gezicht naar me toe, de brede glimlach stevig op zijn plaats. „Sorry hoor, Rowan! Ik denk dat we allebei een beetje gespannen zijn – dit is zo'n grote gebeurtenis voor ons! Dit is mijn… eh, man, Taylor. Taylor, dit is…"

„Juf Rowan," zegt Taylor heel sarcastisch. „Ja, dat vermoedde ik al. Hallo, Rowan. Ik heb zo'n tien minuten om je te leren kennen voor ik de deur uit moet. Ik wilde wel mee naar het vliegveld, maar mijn vrouw had andere ideeën." Hij zet Flossy weer op de grond.

Flossy lijkt onaangedaan door het gedrag van haar ouders, wat vermoedelijk betekent dat ze zich vaak zo gedragen, wat weer betekent dat ik in een gestoorde hel terecht ben gekomen… Met bonkend hart en tollend hoofd loop ik ze achterna.

We gaan een grote woonkeuken in, enorm en glanzend als in een interieurblad. Glimmende granieten werkbladen, witte wanden, zachte verlichting… Ik sluip dichter naar Flossy toe en glimlach naar haar, maar ze werpt haar hoofd in haar nek en loopt verontwaardigd bij me vandaan. Ik probeer wel met haar te praten wanneer ze een beetje aan me gewend is.

Sha schenkt iets in uit een fles die ze uit de reusachtige koelkast heeft gehaald. Te oordelen naar de kruiden op het etiket en het feit dat ze ook wat in een plastic bekertje schenkt, wordt het een jammerlijk non-alcoholische bedoening. Terwijl ik snák naar een biertje.

Taylor draait zich naar me toe; zijn blik glijdt over me heen alsof ik een auto ben die hem weinig doet. Hij heft zijn glas, zegt: „Welkom, Rowan. Ik neem aan dat mijn vrouw het rooster dat ze voor je heeft bedacht al heeft behandeld. Het enige wat ík graag wil is dat je mijn kind buiten gevaar houdt en haar niet te veel verwent. Zo moeilijk kan dan niet zijn, hè?"

„Ik hoop het niet," antwoord ik.

Om de een of andere reden lijkt hij dat antwoord komisch te vinden. Hij grijnst. „Je ziet eruit als iemand met gezond verstand. Klopt dat?"

„Hm, ik denk van wel."

„Dat is wat we hier nodig hebben. Gezond verstand. Hè, Floss?"

Floss werpt eerst hem en dan mij een nijdige blik toe. Dan loopt ze naar Sha en begraaft haar gezicht in haar rok.

„Een gewéldig begin, Sha," sneert Taylor. „Een gewéldig begin."

Sha's gezicht lijkt een vat gif dat op het punt staat over te koken, maar je kunt zien dat ze probeert een scène te vermijden.

Taylor kijkt weer op zijn horloge. „Ik moet ervandoor."

„O, Taylor, niet nu al!"

„Jawel, helaas. Kom óp, Sha. Je wilt me zelf uit de buurt hebben." Hij woelt zo hard door Flossy's haar dat ze „Au, pappie!" gilt en de keuken uit rent.

Sha richt haar aandacht weer op mij. Haar glimlach lijkt regelrecht uit een griezelfilm te komen. „Zal ik je je kamer maar even laten zien? Zodat je je spulletjes uit kunt pakken?"

Verdoofd pak ik mijn koffer en rugzak op en volg haar en Flossy, nu vastgekleefd aan haar moeders been, een gang in. De inrichting heeft iets van een kantoor, imposant maar onpersoonlijk. Ze duwt een deur open. „Dit is Flossy's kamer, hè, engeltje?"

„Míjn kamer!" Flossy stuift naar het bed en springt erbovenop.

Ik laat mijn koffer bij de deur staan en stap de ruime kamer
in. Hij is helemaal ingericht zoals je zou verwachten. Smaakvol,
alles bij elkaar passend en heel duur – zeker omdat het kind er
binnen een paar jaar uit zal groeien. Er staat een ledikant in de
vorm van een boot met een dekbed vol sterren erop; een piepklein houten bureau en een stoeltje bij het raam. De gordijnen,
het tapijt en de wanden zijn bezaaid met gele eenden. („Flossy
is dól op kwaak-kwaak-eendjes, hè, engel?") Er hangen planken met ouderwets houten speelgoed en teddyberen erop die
er ongebruikt uitzien.

Ze verwacht natuurlijk dat ik iets zeg. „Wat mooi!" roep ik
uitbundig. „Wat een schitterende kamer heb jij, Flossy!" Ik ris-
keer het haar aan te kijken.

Ze staat me op te nemen, maar zodra onze blikken elkaar
kruisen, werpt ze haar hoofd opzij.

„Laten we juf Rowan haar kamer maar laten zien, hè?" zegt
Sha. En in plaats van de gang weer in te lopen, stapt ze naar
een deur in de wand en doet die open. „Neem je koffer meteen
mee!" roept ze.

Jemig, wat ís dit? Slaap ik in een kast?

We komen in een piepklein hokje. „Dit was vroeger de kin-
derkamer," legt Sha uit. „Maar nu Flossy zo'n grote meid is, is
het een perfecte kamer voor de kinderjuf, vind je niet?"

Nee! Het is een doos, een cel, met een miezerig raampje, een
heel smal bed en een televisie zo groot als een baksteen.

„Kijk!" snerpt Sha, en ze trekt de enige andere deur in het
kamertje open. Er begint zich een heel akelige gedachte in mijn
hoofd te vormen, die bevestigd wordt zodra ik de enorme kast
vol rails en laden zie. „Je hebt de meeste bergruimte van het
hele huis!"

„Was dit vroeger soms een inloopgarderobe?" vraag ik.

„Ja, waarschijnlijk wel. Heel vroeger."

„Dus er is geen… uitgang. Behalve via Flossy's kamer dan."

„Nee. Maar dat is toch geen probleem. Je moet gewoon zachtjes doen."

Er valt een lange stilte. Mijn maag verkrampt. Ik kan laf zijn, denk ik, en het slikken, of ik kan… „Weet je wat het is, mevrouw Bielicka, ik dacht dat ik wat meer privacy zou hebben."

„Prívacy?" snatert ze verontwaardigd. „Lieve hemel, Rowan, je kunt de tussendeur toch dichtdoen! En je moet bij Flossy in de buurt zijn, anders hoor je haar niet als ze 's nachts wakker wordt!"

Nu draait mijn maag zich óm. „'s Nachts?"

„Ja, 's nachts! Rowan, ik ben héél duidelijk geweest tegen de mensen van het bureau. Doordeweeks zorg jij voor Flossy als ze 's nachts wakker wordt. Ik heb een veeleisende baan. Ik kan me geen gebroken nachten veroorloven."

Koortsachtig denk ik terug. Ik herinner me dat de stroperig pratende vrouw van *Nursery Sprites* iets zei over „het kind soms ook buiten werktijd om opvangen". Ik was ervan uitgegaan dat ze bedoelden dat ik moest oppassen als de Bielicka's 's avonds eens uitgingen. Ik weet nog dat ik toen dacht dat ik misschien zelfs extra betaald zou krijgen. Maar dít…

Terwijl we de gang weer door lopen, hou ik een paniekerige beraadslaging met mezelf. Dit wordt van kwaad tot erger. Het slopende dagelijkse programma, en het besef dat de Bielicka's op voet van oorlog staan met elkaar is bij elkaar al erg genoeg, maar geen enkele privacy hebben, 's nachts klaar moeten staan, daar kan ik niet zomaar overheen stappen. Ik wil vragen hoe het met mijn weekeinden zit, waar hún slaapkamer is. Of ze wel binnen gehoorsafstand zijn. Maar ik durf niet.

We lopen de keuken in. Sha neemt Flossy apart en fluistert haar dringend toe, waarna Flossy nukkig weer wegloopt en terugkomt met een grote, professioneel uitziende archiefmap.

„Wil je mijn kunst zien?" piept ze.

O help. Kunst. Voor een vierjarige. Maar hé – ze praat wel tegen me! „Dat lijkt me geweldig!"

We gaan naast elkaar aan tafel zitten en ik neem mijn toevlucht in de klodders en plaksels en krabbels die Flossy uit haar map trekt. Ze zien er allemaal iets te zorgvuldig, iets te beheerst uit, maar ze zijn goed; goed genoeg om haar oprecht te prijzen. „Wat een mooie koe, Flossy!"

„Het is een geit."

„O ja? Ja, nu zie ik het! En dat kleine meisje, wat lief, ben jij dat?"

„Ja! Op ballét! Mammie, wanneer mag Rowan naar me komen kijken op ballet?"

„Donderdag, engel," antwoordt Sha stralend. „Ze gaat je bréngen – leuk, hè?"

Flossy klautert van haar stoel af en begint wat misselijkmakende pirouettes te draaien. Ik dwing mezelf te klappen. Sha's glimlach dreigt inmiddels haar gezicht in tweeën te scheuren. In elk geval heb ik wat verloren terrein terug veroverd.

„Engel, je eten is klaar!"

Met hongerige jaloezie kijk ik naar de piepkleine boterhammetjes, appelpartjes en rozijnen. Ik barst van de honger. De salade was niet bepaald voedzaam.

Dan vraagt Sha onverwacht: „Je hebt zeker wel last van jetlag, hè?"

Dit is de eerste vraag die ze stelt over míj, en ik ben haast ontroerd. „Eh… ik heb inderdaad het gevoel dat ik een nacht heb overgeslagen."

„Dat had ik al verwacht. Misschien is het leuk als je tegelijk met Flossy naar bed gaat. Zodat ze weet dat je bij haar bent, vlak naast haar."

Het kan dus toch nog erger. „Ja hoor," mompel ik. „Waarom niet."

„Morgen heb ik vrij. Ik dacht dat we een soort instructiedag konden houden. En daarna neem jij het over, Rowan. Ik vertrouw erop dat alles príma in orde komt."

7

Misschien valt het wel mee, hou ik mezelf wanhopig voor terwijl ik met een donzig roze badlaken aan het eind van de grote badkuip sta en probeer mijn tranen te bedwingen. Flossy spettert rond in het schuim. Sha vindt het geweldig en blikt telkens naar mij om te zien of ik haar dochter ook wel aanbid.

Misschien wordt Flossy maar zelden 's nachts wakker. Misschien komt Sha over als een hysterische neuroot omdat ze net zo zenuwachtig is als ik. Misschien wordt het best leuk als ik beter gewend ben – gewend aan deze gigantische verandering in mijn leven... Ik ben doodop. Ik moet alles op alles zetten om niet bewusteloos op de grond te zakken. Met vochtige ogen kijk ik toe hoe Flossy uit het bad wordt getild, in haar nachthemdje wordt gehesen en in haar kleine bootbedje wordt gelegd.

„Nu gaat juf Rowan háár pyjamaatje aandoen, engeltje," roept Sha uitbundig, „en ze doet haar slaapje in de kamer hiernaast! En als je wakker wordt, hoef je haar alleen maar te roepen! Fijn, hè?"

„Ik wil mámmie!" jammert ze.

„Engel, als je wakker wordt en je wilt dat mammie komt, dan komt Rowan mammie wel halen, goed?" Met de blik die ze me toewerpt, maakt ze me duidelijk dat ik dat ab-so-luut niet in mijn hoofd moet halen.

Wanneer Flossy eenmaal is ingestopt, zoek ik mijn toiletspulletjes bij elkaar en loop naar de douche aan het eind van de gang. Sha heeft de deur met zoveel nadruk aangewezen, dat ik het wel uit mijn hoofd laat om de grote badkamer te gebruiken.

Het is een vreemde ervaring: alle wanden zijn van spiegelglas. Ik schrik wakker, en dwars door mijn vermoeidheid heen besef ik dat dit geweldig is als ik me moet aankleden voor een avond uit. Om meteen te worden overmand door een golf van eenzaamheid. Uitgaan? Waarheen? Met wie? Wanneer zal ik de kans krijgen iemand te ontmoeten?

Verdoofd strompel ik terug naar Flossy's kamer. Aan haar rustige ademhaling hoor ik dat ze slaapt. Gelukkig. Binnen tien seconden lig ik in bed, binnen twintig seconden ben ik onder zeil.

Half misselijk schiet ik overeind, zo ruw ben ik wakker geschrokken uit mijn diepe slaap. O nee, het is Flossy! Ik ben niet thuis, ik ben in Amerika om voor Flossy te zorgen en ze krijst.

In paniek tuimel ik uit bed, stommel naar een vage lichtbundel, bots tegen het raam op, maak me los uit de gordijnen, word wat beter wakker, tast naar de deur, wankel haar kamer in…

„Mám-míé! Mam-mie-hie!"

„Ssst! Ssst, Floss. Hé, ik ben het, Rowan…"

„Ga weg. Ik wil mam-mie-hie!"

„Stil, lieverd, rustig maar, toe nou, wat is er?"

„Een gemene hónd! Hij heeft héle scherpe tanden en hij zit me achterna, hij wil me bíjten! Mám-míé!" Ze barst in een hysterisch snikken uit.

Ik val neer op het bed, sla mijn armen om haar heen, trek haar kleine trillende lijfje tegen me aan. „Het is wel goed, Floss," neurie ik. „Het was maar een droom, het is voorbij, alleen maar een droom."

„Ik wil mám-míé!"

O help, hoe krijg ik haar rustig? Ik mag niet al bij mijn eerste actie falen, of wel? „Stil maar, stil maar, ik ga haar wel halen…"

Twee piepkleine handjes klemmen zich om mijn armen. „Niet weggaan! Niet weggaan!"

„Oké, ik blijf hier. Ik ben er, je bent veilig…"

„Ik wil mámmie!"

„Floss, ik kan mammie wel halen, maar dan moet ik jou even alléén laten. Wil je dat, dat ik je helemaal alleen hier laat?" Ik zeg er nog net niet achteraan: „… zodat de gemene hond je kan komen pakken?"

Het werkt. Flossy houdt op met om haar moeder te gillen en komt snikkend op het bed tot rust, mijn arm nog steeds vast-klampend.

Ik strijk door haar haar en pruttel wat troostende woordjes. Ik probeer rechtop te gaan zitten, maar Flossy wil mijn arm niet loslaten – ze trilt nog steeds van angst. Dat arme kind, denk ik, en ik strek me naast haar uit, trek mijn benen op in het bootje en hou haar tegen me aan. „Ik blijf wel bij je, Floss," fluister ik. „Ik blijf wel hier tot je slaapt."

Ik heb geen idee wie er als eerste wegzakt.

Wanneer ik die nacht voor de tweede keer wakker word, is het vanzelf. Ik strek mijn verkrampte benen uit voor zover het bootje dat toelaat en bevrijd mijn arm van Flossy's hoofd. De kans nog wat slaap te krijgen is nihil – niet in dit bed, althans. Bovendien stik ik van de dorst. Ik kijk op mijn horloge: kwart voor twee. Kwart voor twaalf 's middags in Engeland.

Ik ben inmiddels klaarwakker, en ik heb niet alleen vreselijke dorst maar ik sterf ook van de honger. Waar ik zin in heb is een kop thee, een boterham met kaas en jam. Ik sluip de gang op en loop door naar de keuken. Hé, ik heb het verdiend, of niet soms? Nadat ik Flossy weer rustig heb gekregen?

In de keuken drink ik eerst een liter water uit de kraan, dan zet ik de ketel op het vuur. Ik vind wat Engels uitziende theezakjes en een trommel met crackers. In de enorme koelkast ligt kaas. Ik heb het nódig. Als ik hiermee een of andere huisregel overtreed, jammer dan.

Ik beleg zes crackers met kaas, zet een mok thee en ga aan de granieten eetbar zitten om me vol te proppen. En net wanneer mijn wangen bol staan, hoor ik de voordeur opengaan. Als bevroren blijf ik zitten. Wie kan dat in vredesnaam zijn, midden in de nacht? Een inbreker natuurlijk. Mijn hart gaat als een bezetene tekeer. De deur naar de keuken zwaait open…

„Arrrgh!" roept Flossy's vader geschrokken.

„O, meneer Bielicka, sorry, sorry!" jammer ik met mijn mond vol. „Ik heb last van een jetlag, ik rammelde van de honger…"

Er verschijnt een glimlach op zijn gezicht. God zij dank. „Tjonge, ik schrok me wezenloos," brabbelt hij. „Ik dacht dat er een spook op het aanrecht zat."

„Sorry," pruttel ik nog eens.

„Geen punt. Jij schrok je ook te barsten, hè? Binnenkomen om…" Hij kijkt op zijn horloge en fluit. „Zakendineetje. Beetje uitgelopen. Hé, heb je toevallig ook koffie gemaakt?"

„Eh…"

Hij buigt zich over de eetbar, kijkt me vriendelijk aan – hij heeft een leuke lach – en pakt ongevraagd een cracker. Er komt een behoorlijke dranklucht van hem af. „Geef me anders maar een biertje. Ligt in de koelkast."

Ik heb twee keuzes. Ik werp hem voor de voeten dat ik hier ben om voor zijn kind te zorgen, niet als zijn sloofje, of ik ga een biertje voor hem pakken. Laf kies ik voor de tweede optie. Terwijl ik hem het flesje aangeef, glijdt zijn blik weer over me heen, maar deze keer alsof hij een auto ziet waarmee hij wel een proefritje zou willen maken. Het zal wel aan de drank liggen.

„En, is Floss zonder sputteren naar bed gegaan?" vraagt hij.

„Ja. Ze is wel wakker geworden van een nachtmerrie, maar ik heb haar weer in slaap gekregen…"

„Mooi, petje af. Tjonge, dat kind heeft zulke akelige dromen. Sha kon er op een gegeven moment niet meer tegen…" Hij breekt zijn zin af, grijnst schaapachtig. „Oeps. Niet uit de school klappen. Hé, kijk niet zo. Haar moeder, daar moet je voor oppassen, niet voor dat kind. Oeps. Weer te veel gezegd, hè?" Hij lacht en neemt een flinke slok bier.

Hij leunt wankelend tegen de eetbar en pakt nog een cracker van mijn bord. „Ach, waar doen we het allemaal voor," vraagt hij dan ineens op scherpe toon. „Wat heeft het nou allemaal voor zin? Nou? Het leven, bedoel ik. Vraag jij jezelf dat nooit af?"

Ik haal mijn schouders op, neem wat thee en hap in mijn laatste cracker. Zodra ik hem op heb smeer ik 'm, neem ik me voor.

„Je gaat toch niet weg, hè?" vraagt hij, terwijl ik van mijn kruk glijd en met een onbehaaglijk gevoel mijn bord en mok naar de gootsteen breng. Ik voel zijn ogen op mijn achterwerk.

„Beter van wel. Laat ik maar proberen nog wat te slapen. Ik zal me toch moeten aanpassen aan de Amerikaanse tijd. Welterusten." Ik haast me de keuken uit.

Rond zessen sta ik op en begin nerveus mijn koffer uit te pakken. De enorme garderobekast slokt mijn kleren op alsof hij een maand niet heeft gegeten. Op de tafel naast de televisie schik ik de paar dingetjes die ik heb meegebracht – mijn sieradendoosje en make-uptasje, luchtpostpapier… Alleen al bij de gedachte Mel te schrijven moet ik een snel opkomend gevoel van eenzaamheid bedwingen.

Dan loop ik naar de douche om me voor te bereiden op 'instructiedag', wat klinkt als een Amerikaanse B-film over het leger. Ik haat films over het leger.

8

Om klokslag half acht hoor ik Sha Flossy's kamer in marcheren. „Flóssy! Word eens wakker-de-pakker!"

Ik ga in mijn deuropening staan om Sha te laten zien dat ik al
helemaal aangekleed en paraat ben. Ze negeert me.

Flossy kreunt, rolt zich op haar andere zij. „Ga weg."

„Ze is moe, ze heeft een onrustige nacht gehad." Ik maak me
zorgen om het arme kind, maar ik wil ook graag dat Sha weet
hoe keurig ik het vannacht heb opgelost. „Ze had een vreselijke
nachtmerrie over..."

„Flóssy!" schreeuwt Sha. „Je moet erúít!"

Pas wanneer Flossy met waterige oogjes uit bed is geplukt,
op haar moeders schoot is geplant en stevig is omhelsd, te
horen heeft gekregen hoeveel mammie van haar houdt en dan
richting badkamer is gevoerd, draait Sha zich naar mij toe.
Maar niet om naar de nachtmerrie te informeren. „Van hier af
aan, Rowan, neem jij het voortaan over!" sist ze alsof het een
kwestie van leven en dood is. „Oké? Op dit tijdstip móét ik de
deur uit! Begrepen?"

„Eh... oké."

„Mooi. Kom mee."

Sha is vastberaden er een heuse generale repetitie van te
maken. Ik kijk toe hoe Flossy wordt gewassen en aangekleed,
en hoor het begeleidende commentaar en advies aan. „Bij het
tandenpoetsen gebruiken we dit wékkertje, anders wil Flossy
nog wel eens smokkelen." En: „Haar schoolondergoed ligt in

deze lade. De bedrúkte broekjes mag ze alleen in het weekeinde aan." En: „We doen haar haar ná het ontbijt. Anders maakt ze het tijdens het eten weer in de war."

Bij het ontbijt komt ook een hoop theater kijken. „Flossy mag alleen kiezen uit bruine toast, of zemelmuffins, of volkoren cornflakes. Sap of magere melk. En probeer haar een stuk fruit te laten eten."

Terwijl we aan de eettafel zitten schakelt ze om in 'kwaliteitstijd'-stand en begint Flossy vragen te stellen over haar natuurdagboek.

Flossy weigert te antwoorden.

Na het ontbijt gaan we de deur uit. Sha kijkt voor de zoveelste keer op haar smalle gouden horloge. „Strikt genomen zijn we vijf minuten te laat."

Na een mars over brede, met bomen omzoomde straten komen we bij de peuterschool. Bij het hek pakt een stralend Spaans meisje Flossy bij de hand en loopt zwierig met haar naar binnen. Moeder en dochter lijken allebei even opgelucht van elkaar te worden gescheiden. „Het is zo moeilijk om afscheid te nemen," mompelt Sha.

Terug in het appartement krijg ik – zoals beloofd – een uitgebreide lijst met taken in mijn handen gedrukt. We nemen hem regel voor regel door; net als Flossy's angstaanjagende planbord, dat prominent in de keuken hangt. Behalve haar natuurdagboek krijg ik haar vorderingenverslag te zien, waarin ik alle gebeurtenissen en prestaties moet noteren.

Ik krijg een stoomcursus over de werking van de huishoudelijke apparaten en de schoonmaakmiddelen, hoewel Sha blijft volhouden dat ik weinig aan het huishouden hoef te doen.

Tegen half elf heb ik het laatste restje hoop opgegeven dat het ooit zal werken tussen Sha en mij. Dat zal nooit lukken, nooit. Niet in dit leven, niet in een volgend. Ze is een nachtmerrie. Ze neemt nooit gas terug. Ze geeft het begrip 'controlefreak' een heel nieuwe betekenis.

Ze leidt me rond in het appartement, maar laat doorschemeren dat op de keuken na alle kamers verboden terrein zijn voor me. Wanneer de rondleiding is beëindigd, blijft ze bij een deur staan: „Hou je van planten?"

„Eh…"

„We hebben een dakterras. Absurd, je moet helemaal de trap op, hópeloos voor etentjes, en je hebt er ook geen uitzicht op vanuit een van de kamers, maar…" Ze trekt de deur open en begint naar boven te trippelen. „Ik kom hier nooit, maar Taylor verschanst zich hier wel eens met een borrel…"

Dat geloof ik graag, denk ik – en dan valt mijn mond open.

We staan op een onvoorstelbaar mooie plek, vol groen en licht. Overal staan metershoge planten, ze klimmen langs de wanden, kruipen over de tegelvloer, persen hun bladeren tegen het glazen dak. Zelfs de rotan tafel met stoelen eromheen die in het midden staat, is deels overwoekerd door drúivenranken.

„Het is zó armoedig," zegt Sha zuur. „Totaal verwilderd. Toen we hier introkken was het keurig netjes, maar Taylor houdt het niet bij."

„Maar het staat er allemaal zo gezond bij," zeg ik terwijl ik dieper de oase in loop. De lucht is vochtig, warm, ontspannend. Ik zuig mijn longen vol.

„Hm, het wordt automatisch gesproeid, dat scheelt tenminste nog. En de planten krijgen heel veel licht…" Ze wijst naar het gewelfde glazen dak.

„Het is prachtig," mompel ik.

„Je mag hier zo vaak heen als je maar wilt," kondigt ze aan, en ze kijkt me aan om zich ervan te verzekeren dat ik haar bijzonder sympathieke gebaar ook als zodanig zie. „Als Flossy in bed ligt, kun je de babyfoon meenemen."

„Dat lijkt me heerlijk," zeg ik – en ik meen het. „Het is…" Ik stop. Er klinkt een krassend, schrapend geluid achter een bos palmbladeren.

„O ja!" roept Sha laconiek. „Dat is het beest. Je hoeft niet bang te zijn, hij zit in een kooi. Kom maar kijken."

De kooi is hoog en smal, gemaakt van draadgaas. Aan de bovenkant hangt een kegelvormige metalen lamp, het peertje eronder gloeit; daaronder zijn twee dikke takken in rechte hoeken op de zijkanten gemonteerd. En schrijlings op de bovenste tak, zijn blik recht op ons gericht, zit een grote groene hagedis.

„Weerzinwekkend, hè?" zegt Sha.

Terwijl ik naar hem kijk, voel ik een brok in mijn keel. Hij lijkt zo volslagen buitenaards, als iets uit een sciencefictionfilm, met de stekelige kammen op zijn kop en zijn schubben, en zijn ogen zijn glanzend, helder, merkwaardig wijs.

„Ik háát hagedissen," zegt Sha. „Jij niet?"

Zijn staart, twee keer zo lang als zijn lichaam, ligt om de tak eronder gekromd. Zijn achterpoten hangen aan weerszijden van de tak. Zijn angstaanjagende drakenklauwen schrapen tegen het draadgaas. Hij is… schitterend. „Hij heeft veel te weinig ruimte!"

„Onzin!" snauwt Sha. „Hagedissen worden maar zo groot als hun kooi toestaat."

„Wát? Dat klinkt net als voeten afbinden. Dat arme beest!"

„Rowan, we hebben het maar over een hagedís!" Ze kijkt me boos aan, niet-begrijpend, alsof ik me zorgen maak over het welzijn van een hoop kattenrollen. „En die kooi is het neusje van de zalm. Klimaatcontrole, automatisch voedersysteem – zelfs dat badje druppelt vanzelf vol." Onder in de kooi staat een smerig uitziend bakje waar een pijpje in uitkomt. „Taylor hoort het schoon te houden," verzucht ze, „maar dat doet hij uiteraard niet. Hij haalt hem er wel af en toe uit, maar ik moet er echt níéts van hebben – hij komt naar je toe en bedelt om eten! Flossy is er doodsbang van."

De stompe, geduldige kop van de hagedis knikkebolt van ons weg, en ik word overmand door medelijden.

„Tijd om Flossy op te halen!" zingt Sha alweer.

De rest van de dag verloopt even hectisch. Eten klaarmaken voor Flossy, met Flossy naar zwemles, Sha's gestoorde richtlijnen aanhoren. Halverwege de middag neem ik er niets meer van op. Ik kijk alleen nog maar uit naar morgen, wanneer Sha naar haar werk is. Misschien krijg ik dan wat tijd om adem te halen.

Vrij snel na het avondeten komt de jetlag weer opzetten. Terwijl ik Floss haar verhaaltje voor het slapen voorlees, moet ik aldoor geeuwen. Flossy vindt het grappig en probeert steeds haar vingers in mijn mond te steken. Ze is best leuk als haar moeder er niet bij is. Wanneer ik net doe alsof ik in haar hand wil bijten, giert ze van het lachen en komt haar hele gezicht tot leven.

Ik heb 'instructiedag' overleefd en ga weer tegelijk met Flossy naar bed.

9

Floss en ik kunnen het prima vinden. Het is nog geen negen uur, en nu al hebben we een heleboel regels overtreden. Floss wil per se een onderbroek met een plaatje erop aan; ze vertikt het langer dan tien seconden haar tanden te poetsen; ze weigert fruit te eten; we gaan pas om vijf over half negen de deur uit en ik borstel haar haar terwijl we met de lift naar beneden gaan. Onderweg treuzelen we zo erg, dat ik haar de laatste honderd meter op mijn rug moet nemen en moet rennen, wat ze geweldig vindt.

Glunderend van trots loop ik terug naar het appartement.

Om een briefje te vinden dat ik eerder niet had opgemerkt, met een magneetje op de enorme koelkast bevestigd. Ik begin te lezen: *Beste Rowan – Even een paar klusjes om na je opruimrondje te doen. (NB: de badkamer is smérig!) Wil je…* En dan volgt een waslijst van Seattle tot Tokio.

Dat valse kreng! Woest stamp ik de keuken uit. Ik werk me te pletter om de badkamer op te ruimen, de keuken en Flossy's slaapkamer, dan ren ik naar de stomerij, verdwaal op weg naar de supermarkt en dender terug naar het appartement. Tegen de tijd dat ik naar buiten storm om Flossy op te halen is het kwart voor twaalf. Ik kom acht minuten te laat.

„Mevrouw Marks wilde mámmie al bellen," zegt Flossy verwijtend.

„Wát? Waarom?"

„Om te zeggen dat je me niet hebt opgehaald."

O, fijn. Ik loop naar mevrouw Marks, leg uit dat ik nog aan alles moet wennen. Ze reageert zo lief en begripvol dat de tranen in mijn ogen springen.

„Van mammie mag ik nooit chocolade," zegt Floss met haar mond vol bruine vlekken.

„Nou ja, ik kon moeilijk zelf nemen en jou niets geven, of wel, Floss?"

„Nee. Dat zou geméén zijn."

„Met twee stukjes bederf je heus je eetlust niet."

„Nee." Een poosje zit ze gelukzalig te kauwen, dan vraagt ze: „Heb ik vandaag een speelafspraakje?"

O nee! Ik ben vergeten op haar stomme planbord te kijken voordat ik wegging! „Dat is een verrassing, Floss," bluf ik. „Wacht maar tot we thuis zijn. Hé, nog een keer paardje rijden?"

Ik galoppeer haar in een noodtempo terug naar huis, zet haar op de grond en stuif naar het angstaanjagende planbord. Pffft. Ze moet vanmiddag bij ene Kelly Oswald spelen, maar pas om twee uur. Ik kijk op de plattegrond die Sha voor me heeft neergelegd, reken uit dat het zo'n twintig minuten lopen is, en steek mijn hoofd in de koelkast. „Wat dacht je van een omelet, Floss?"

„Lust ik niet. Wat is een omelet?"

Nadat ik al strijkend mijn lunch heb weggewerkt, gaan we op pad. Floss wil niet, ze vindt Kelly gemeen en ze is moe. Ik zeg dat ze wel zal moeten; het staat nu eenmaal op het planbord. Tien minuten te laat arriveren we bij Kelly thuis, waar een vrouw ons binnenlaat met de opmerking: „Jij houdt wel een oogje in het zeil, hè?"

„Eh... oké. Bent u haar kinderjufrouw?"

„Nee, de werkster. De kinderjuffrouw is vanmiddag weg."

Aha, zo zit het in elkaar. Een speelafspraakje regelen voor je pupil, zodat je een oppas hebt en je er zelf tussenuit kunt knijpen. Moet ik onthouden.

Het wordt een drama. Telkens als Flossy een stuk speelgoed oppakt, trekt Kelly het uit haar handen. Na een poosje komt Flossy bij mij zitten en barst in tranen uit.

„Kom maar, meisje," zeg ik, „kom maar mee." We gaan op zoek naar de werkster, die in de keuken bezig is. „Ik vrees dat het niet zo klikt tussen die twee."

Ze haalt haar schouders op.

„Als ik Flossy meeneem, let u verder wel op Kelly, hè?"

„Dat moet dan maar. Je weet hoe je eruit komt?"

Op de terugweg begint Flossy te jengelen. „Ik ben zo moe-hoe."

„Ik weet het, lieverd," zeg ik. „Ik ook. Ik ben óp." Ik knijp in haar hand. Het begint natuurlijk aan te voelen, haar handje in de mijne. „Nog een keertje op mijn rug?"

„Nee hoor," zegt ze dapper. „Het gaat wel."

„Weet je wat, Floss?"

„Wat dan?"

„Wanneer we zo thuis zijn, gaan we lekker een dutje doen."

Waarmee we de volgende regel zullen overtreden.

Jammer dan.

Zodra Sha die avond om kwart voor zeven binnenkomt, wordt ze begroet door een stralende dochter, die helemaal opgefrist is van haar uurtje slapen. Toen Flossy wakker werd, heb ik een washandje over haar gezicht gehaald en gezegd: „Ik hoop maar dat mammie niet boos is dat je een dutje hebt gedaan, Flossy."

Waarop zij zei: „Laten we het niet verklappen, Rowan!"

O jee. Een samenzwering met een kind van vier. Nou, prima dan.

„Hoe was het vandaag, Rowan?" vraagt Sha terwijl ze haar dochters armpjes van haar middel lospulkt.

„Uitstekend, hoor!" antwoord ik opgewekt. En ik breng verslag uit – aangepast uiteraard. In mijn versie komt geen chocolade voor, was het spelen met Kelly heel geslaagd en wordt er niet eens gegaapt, laat staan geslapen.

Sha knikt tevreden en verdwijnt dan met een glas water en twee pilletjes naar haar slaapkamer. „Ik heb zo'n zware dag gehad…"

Ik weet wat er van me verwacht wordt.

Wanneer Floss eenmaal slaapt, loop ik de grote, lege keuken in, zet een kop thee en probeer niet te piekeren. Per slot van rekening kan ik er weinig aan veranderen, of wel? Het enige wat ik kan doen is haar afleiden.

Op dat moment herinner ik me het dakterras. Al die ruimte, niemand om me heen, de sterren die door het glazen dak naar binnen schijnen. En de hagedis, opgesloten in zijn te krappe kooi.

Ineens ben ik niet meer zo happig op het dakterras.

Doe niet zo stom, hou ik mezelf voor. Hij heeft vast meer ruimte in die kooi dan jij in je kastkamertje. En hij zit er toch – of jij het nu ziet of niet. Met de babyfoon onder mijn arm loop ik de trap naar het dakterras op.

Opgewonden duw ik de deur open. Tientallen kleine spotjes staan verspreid tussen de planten, lichten hier een groep bladeren op, daar een dikke kronkelige stam. Het is een spectaculair gezicht. De glazen wanden en het dak reflecteren het licht, en ik heb het gevoel dat ik in een ruimteschip zit.

Ik hoor de hagedis bewegen, zijn klauwen tegen het metaal schrapen. Doe het nou maar. Kijk er nou maar even naar, dan heb je het gehad…

Het beest kijkt me recht aan. Hij zit op precies hetzelfde plekje als gisteren. Het waterbakje is nog steeds smerig en staat haast leeg. „Schoften," mompel ik in mezelf

En dan voel ik dat er iemand achter me staat.

„Hé, zullen we hem er even uit laten?"

„Meneer Bielicka!" roep ik geschrokken.

„Taylor. Zeg alsjeblíéft Taylor."

„Jemig, ik schrik me lam! Ik heb u niet naar boven horen komen!"

Hij grijnst en heft bij wijze van groet zijn bierflesje op. „Ik zit hier al een poosje. Daar." Met zijn hoofd gebaart hij naar een ligstoel, half verscholen achter een gigantische varen. „Kóm ik eens een keer op tijd thuis om samen met mijn vrouw te eten, ligt ze voor pampus met migraine."

Ik zeg niets, bedenk dat hij al uren thuis moet zijn, maar dat het niet in hem is opgekomen even bij Flossy te kijken of om haar welterusten te wensen. Demonstratief druk ik de babyfoon tegen mijn oor en luister. Ik hoor Flossy's regelmatige, diepe ademhaling.

„Nog in dromenland?" vraagt hij.

„Ja."

„Mooi zo. Ze boft met jou," zegt hij. Dan steekt hij zijn arm achter me langs en doet de kooideur open. „Laten we die arme Iggy even laten scharrelen, hè."

„Is hij… is hij gevaarlijk?"

„Alleen als je hem in het nauw drijft." Dan lacht hij, pakt met beide handen de hagedis onder de buik en tilt hem uit de kooi. Zijn staart strijkt in het voorbijgaan langs mijn blote arm. Ik hap naar lucht.

„Wat voor hagedis is het?"

„Een groene leguaan. Een kleintje, is ons wijsgemaakt."
Taylor zet het dier op de grond, en Iggy schommelt doelgericht
naar de loofrijke bloembakken aan de zijkant. Het is net een
miniatuurdraakje. Je ziet dat hij het fijn vindt te bewegen na zo
lang te zijn opgesloten.

Ik kan mijn ogen niet van hem afhouden. „Wat is hij mooi."

„Vind je? Sha kan hem niet uitstaan."

We kijken toe hoe Iggy tussen de bladeren verdwijnt.

„En," zegt Taylor terwijl hij weer in de ligstoel neerploft,
„denk je dat je wel met ons kunt leren leven?"

„Ja hoor," mompel ik.

„Grote verandering, nieuw land en alles." Hij haalt zijn
schouders op, spreidt zijn handen en kijkt me meelevend aan.
Ergens ben ik best ontroerd. Hij beseft in elk geval dat ik ook
behoeften heb – anders dan Sha, die me tot nu toe als een
oppasrobot heeft behandeld. „Als ik iets voor je kan doen, dan
geef je maar een gil, hoor."

„Eerlijk gezegd vroeg ik me af," zeg ik, „of ik de fitnessruimte in de kelder mag gebruiken. Sha zei wel zoiets, en ze had het
over een pasje."

Hij grijnst. „Sportfanaat, hè? Natúúrlijk mag dat, geen punt.
Ik zal een pasje voor je regelen. Misschien kunnen we een keer
samen gaan trainen. Of… zwemmen."

Ik glimlach opgelaten, doodsbang dat hij erachteraan zal zeggen: „Of naar de sauna", wanneer er boven mijn hoofd wat bladeren ritselen. Ik kijk op en schiet van schrik in de lach. Iggy's
levendige, grijnzende kopje steekt ongeveer een meter bij mijn
gezicht vandaan tussen het groen naar buiten.

„Hij vindt je leuk!" roept Taylor uit. „Moet je zien hoe hij
naar je zit te kijken!"

Iggy zit met uitgespreide poten over een tak, zijn staart en achterpoten bungelen omlaag. Hij lijkt zo in zijn nopjes, dat ik weer moet lachen.

„Laten we hem maar weer in zijn kooi doen." Taylor plukt Iggy plompverloren van de tak. „Als hij zich verstopt, duurt het eeuwen om hem weer te vinden. Tenzij je slablaadjes bij je hebt, dan komt hij wel te voorschijn."

Ik volg hem naar de kooi en vraag moedig: „Heeft hij niet veel te weinig ruimte in dat ding?"

„Mwah, valt wel mee. Leguanen geven niet zo om beweging. In de natuur zitten ze ook uren op hetzelfde plekje, gewoon de warmte op te nemen."

„Maar hij leek het juist fijn te vinden om te wandelen!"

„Hoor eens, als je medelijden met hem hebt, geef dat bakje op de bodem dan eens een sopbeurt. Er zit een gootsteen daar aan de wand. En vul het bij, dan kan hij een duik nemen." Ik doe wat hij zegt en wanneer ik terugkom, staat Taylor de bodem van de kooi schoon te maken.

Ineens klinkt er een snerpend gehuil uit de babyfoon. We schrikken allebei.

„Allemachtig!" flapt Taylor eruit. Hij klinkt verschrikt, vol afkeer zelfs.

Ik geef hem vijf seconden om aan te bieden bij zijn dochter te gaan kijken, dan snel ik zelf naar beneden.

10

Het weekend. Mijn eerste weekend in Amerika. Ik had me er
zo op verheugd. De afgelopen twee dagen waren verschrikkelijk. De jetlag heeft plaatsgemaakt voor chronische uitputting,
maar ik hield mezelf staande met het vrije weekend op komst.
Tijd voor mezelf, om op adem te komen. Dat móést!

Op donderdag was Sha vroeg uit de veren, zei niets over de
avond ervoor, laat staan dat ze haar excuses aanbood.

„Rowan, je vergeet toch niet aan het natuurdagboek te werken, hè? En kun je vanaf vandaag Flossy's vorderingenverslag
bijhouden? Daar hebben we het over gehad, weet je nog?"

Kreng… kreng… kreng… scandeerde ik binnensmonds. Dat
doe ik de laatste tijd vaak, mantra's zingen van scheldwoorden.

Na een ochtend vol huishoudelijke klusjes haalde ik Flossy
uit school. Een van tevoren bestelde taxi bracht ons naar haar
balletles, die ik tandenknarsend uitzat. Op de rij stoelen achter
in de zaal zaten nog meer kinderjuffen gedwee toe te kijken.
Dit was een moment bij uitstek om contact te leggen. Maar ik
was in zo'n chagrijnige stemming dat ik zelfs oogcontact ver-
meed.

Terug in het appartement zei Flossy dat ze speelgoed ging
pakken. Ik zette de ketel op, pakte het vorderingenverslag en
reageerde wat van mijn woede af door een mierzoet neprap-
port van Flossy's dag te schrijven. *Flossy heeft op weg naar
school gehuppeld, en ze heeft een Vlaamse gaai herkend! Ze heeft*

geholpen met het klaarmaken van de lunch en van de wortelsliertjes een schilderij gemaakt! De juffrouw zei dat ze het beste sneeuwvlokje van de les was...

Halverwege mijn mok thee besefte ik dat Floss nog niet terug was. Ik liep naar haar kamer, al vrij zeker van wat ik zou aantreffen. En ja hoor, daar lag ze, als een puppy opgekruld aan het voeteneind. Stilletjes ging ik tegenover haar op de grond zitten, mijn rug tegen de radiator, en dronk mijn thee verder op. De stilte was weldadig.

„Slaap maar lekker, Flossy," fluisterde ik. „We kunnen de rust allebei gebruiken."

Hoe kwam ik erbij dat het weekend fijn zou zijn? Het is nog erger dan doordeweeks. Op zaterdag slaapt iedereen uit. Ik word om half tien wakker van Flossy, die schel kinderliedjes zingt en speelgoed in het rond smijt, ook tegen mijn deur.

Ze drentelt achter me aan de keuken in, dus uiteindelijk sta ik voor ons allebei ontbijt te maken. Sha verschijnt een half uur later in een Hollywood-nachthemd en kijkt verstoord wanneer ze mij ziet. Ik sluip weg, spring onder de douche en glip dan naar buiten.

Ik sla zomaar een straat in en sjok de stad door. Ik kom bij winkels, bekijk etalages. In een buurtkroegje doe ik een uur met één kop koffie. Dan ga ik weer lopen. Doelloos als een dakloze.

Tegen half drie rammel ik van de honger, maar ik zie ertegen op in mijn eentje ergens te gaan zitten eten, én om geld uit te geven, dus ik ga terug naar het appartement. Gelukkig is het gezin vertrokken voor weet ik wat. Razendsnel snaai ik wat eten uit de koelkast, en ik loop net de keuken uit om me in mijn kamer te verstoppen wanneer de voordeur opengaat.

Het gezinsuitje is duidelijk geen succes geweest. Sha loopt op

Taylor te vitten, Taylor doet grommerig naar Sha, Flossy loopt te dreinen.

Sha ziet mijn overladen bord, knippert ongelovig en vraagt: „Heb je iemand op je kamer?"

„Nee," mompel ik.

„Waar is dan in vrédesnaam al dat eten voor?"

„Ik... ik heb honger..."

„Dat blijkt," zegt ze hatelijk.

„Laat haar toch, Sha," snauwt Taylor. „Laat die meid gewoon éten. Niet iedereen hoeft eruit te zien als een wandelende tak."

Haastig maak ik me uit de voeten. Ik neem niet eens de tijd het stukje kaas dat van mijn bord valt op te rapen.

Vier uur lang sluit ik mezelf op in mijn cel. Ik eet, ik kijk tv, ik schrijf een klaaglijke brief aan Mel; ik doe een dutje. Ik begin me aan te passen, besef ik somber. Ik begin te wennen aan mijn leven als gevangene.

Rond zeven uur wordt er op mijn deur geklopt.

„Rowan?" hoor ik Sha poeslief vragen. „Rowan, mag ik even binnenkomen?"

„Ja hoor."

Ze doet de deur half open en glipt naar binnen. „Ga je vanavond uit?" vraagt ze.

Ik knijp mijn ogen dicht – het scheelt weinig of ik begin te grienen. Wat een ongelóóflijk stomme vraag. Ik wil gillen dat ik alleen ben, dat ik net ben aangekomen, dat ik hier niemand ken, niet zou weten wat ik moest doen, waar ik heen kon... Maar het enige wat ik doe is krakerig antwoorden: „Nee."

„Nou, zou jij dan vanavond op Flossy kunnen passen? Taylor en ik willen ergens een hapje gaan eten." Als verlamd staar ik haar aan, maar ze ratelt verder: „We moeten wat aandacht aan elkáár besteden en..."

Ik hoor haar stem, maar versta haar niet. Als het geluid ophoudt, knijp ik mijn ogen even stijf dicht.

Sha staat naar me te grijnzen. „Van Flossy zul je geen last hebben. Ze zit nu in bad, Taylor is bij haar. Ze heeft zó'n drukke dag gehad, die slaapt zodra haar hoofd het kussen raakt…"

„Tot ze gillend wakker wordt," flap ik eruit.

Sha kijkt alsof ik haar een klap heb gegeven, wat ik ook het liefst had gedaan. „Heb je daar problemen mee?"

„Nee, niet wanneer ik dienst heb. Maar dit is mijn vrije avond."

„Maar je gaat tóch nergens heen…"

Ze is een monster. Een wreed, uitbuitend monster. Ik moet haar met haar eigen wapens zien te verslaan. Ik hef mijn kin op, tover een neplach te voorschijn. „Ik wil best voor je oppassen, Sha. Wat is het uurloon?"

Dwars door de gesloten deuren heen hoor ik de Bielicka's tekeergaan. Sha roept dat ik zo ondankbaar ben, zo inhalig en op geld belust.

„Luister, Sha," onderbreekt Taylor haar, „het is niet meer dan redelijk dat ze er extra voor betaald krijgt!"

Sha barst meteen weer los in een tirade over verantwoordelijkheidsgevoel. Ik hoor Taylor kreunen van onderdrukte woede, alsof hij zichzelf ervan probeert te weerhouden Sha's hoofd tegen de muur te rammen. Maar dat gebeurt niet – sterker nog: het wordt stil.

Opgesloten in mijn kamertje luister ik hoe Taylor even later Flossy in bed stopt. Het gaat met veel tamtam. Het is duidelijk dat ze geen van beiden van elkaars gezelschap genieten. Inmiddels moet ik ontzéttend nodig plassen, maar ik doe het nog liever in mijn koffer dan dat ik me de gang op waag. Ik klem mijn benen tegen elkaar, spits mijn oren. Het wordt stil in de kamer naast me, en dan wordt er weer op mijn deur geklopt. „Binnen!" piep ik.

Het is Taylor. Met een verontschuldigende lach steekt hij een briefje van twintig dollar omhoog. „Wil je nog steeds op Floss passen?"

„Ja hoor. Luister, ik vind het vervelend er geld voor te vragen, maar het is nu eenmaal…"

„Je hoeft het niet uit te leggen, Rowan," zegt hij heel warm en vaderlijk. „Je hebt groot gelijk." Dan komt hij tot mijn schrik naast me op mijn bed zitten. Ik klem mijn benen nog steviger tegen elkaar. „Kijk, Sha is een veeleisende dame." Vertel iets wat ik nog niet weet, schiet door me heen. „Het punt is dat ze zó enorm veel van dat meisje houdt dat het in haar ogen niet… niet klopt om er geld voor te vragen. Alsof je het gewoon uit… liefde zou moeten doen."

Dat is zo krankzinnig dat ik niets weet uit te brengen. Zeker niet nu Taylor mijn hand heeft vastgepakt en het geld erin drukt. „Dit is voor jou, oké?" zegt hij zonder mijn hand los te laten. „We zijn maar een paar uurtjes…"

„Tay-lór!" Sha's kreet snijdt zijn zin als een kettingzaag af.

Taylor veert overeind en loopt zonder ook maar om te kijken mijn kamertje uit. Ik hoor de voordeur dichtslaan en tel tot vijf, spring overeind en sprint naar het toilet. Daarna kijk ik even naar Flossy, zie dat ze al vast in slaap is, pak de babyfoon, loop naar de koelkast en pak twee biertjes en een handje sla.

Dan loop ik de trap naar het dakterras op.

Hij zit nog steeds op de bovenste tak. Het warme licht bedekt zijn groene huid als honing.

„Hé, knul," mompel ik. „Zin om je benen te strekken?" Ik maak het deurtje van de kooi open.

Op weg naar boven had ik bedacht dat als ik hem eruit wilde

laten, ik het beter meteen kon doen. Voordat ik koudwatervrees zou krijgen.

Zijn geheimzinnige hagedissenogen bestuderen me, terwijl ik het deurtje opendoe en hij verschuift op zijn tak. Dan blijft hij weer bewegingloos naar me zitten kijken.

Langzaam steek ik mijn hand uit, en hij maakt een snelle beweging en belandt op de bodem van de kooi. „Jémig!" Ik schiet opzij. Hij klautert over de bodem, over de rand, en laat zich vallen, op de vloer. Dan schiet hij weg tussen de stammen en bladeren.

Ik adem diep in en uit, loop naar de ligstoel en open een van de flesjes bier.

Minstens drie kwartier lig ik naar het ruimteschip-plafond te staren, naar het getwinkel van de reflecterende spotjes. Het is alsof ik bewusteloos ben geslagen. Ik lig doodstil, vang hier een glimp van Iggy's staart op, daar een flard van zijn neus en probeer me neer te leggen bij mijn maffe nieuwe bestaan.

Ik word afgeleid door een ritselend geluid. Links van me verschijnt Iggy tussen de bladeren. Ik lach, kom overeind en hou hem een blaadje sla voor. Hij ruikt het en begint op me af te sjokken. Als hij beweegt lijkt hij wel een dinosaurus. Ik voel een golf van angst maar blijf mijn hand uitgestoken houden. En dan pakt hij het in zijn brede bek.

Heel voorzichtig leg ik mijn handen onder zijn buik, huiverig om hem aan te raken, maar ik doe het toch, en ik til hem behoedzaam van de grond. Hij is zwaar, compact – zijn huid voelt warm en levend. Ik draag hem terug naar zijn kooi. Hij kauwt onverstoorbaar verder. Dan zet ik hem op de bodem van de kooi, maak het deurtje vast, gloeiend van trots.

„Dag, knul," fluister ik. „Tot de volgende keer."

Die zondag probeer ik iedereen weer te ontlopen. Ik dwing

mezelf buiten de deur te gaan lunchen, gewoon in een snackbar vol andere sukkels. Verder trek ik me terug in mijn kamertje. Ik durf zelfs niet naar Iggy te gaan kijken omdat ik vermoed dat Taylor zich op het dakterras schuilhoudt.

Al met al is het weekeinde twintig keer zo erg als doorde-weeks. Want hoe onmenselijk mijn bestaan hier ook is, doorde-weeks heb ik tenminste nog een doel, dan is er tenminste nog een réden voor mij ellende.

De Bielicka's kan het weekeinde duidelijk ook gestolen wor-den. Zondagavond – nog één nachtje slapen en ze mogen weer naar hun werk – is de opluchting bijna tastbaar.

Sha troont me de keuken in, dringt me een kop naar verlepte bloemen smakende kruidenthee op en onderwerpt me aan wat ze een 'organisatieoverlegje' noemt, over speelafspraakjes en een zwemtest en een tandartsbezoekje in de komende week.

En dan komt Taylor binnen kuieren, ziet mij, slaat tegen zijn voorhoofd en roept: „Nee hè! Helemaal vergeten! Ik heb vrij-dag een pasje voor je gehaald, Rowan. Voor de sportzaal en het zwembad!"

Fijn. Wat ik er niet voor over had gehad om daar dit weekein-de heen te kunnen gaan.

Die stomme, demente schoft.

11

De dagen en weken verstrijken. Voor Floss zorgen wordt routine. We lijken stilzwijgend te hebben afgesproken dat Sha's regels bezopen zijn en dat we ze naar hartelust kunnen overtreden, zolang ze er niet achter komt. Toch maak ik me steeds meer zorgen om Flossy's welzijn. Ze heeft meer nodig dan een knuffel, plezier, tukjes. Dat kind heeft hulp nodig. Ze heeft – laten we eerlijk zijn – andere ouders nodig.

Ik heb al drie lange weken van mijn straf uitgezeten. En in die tijd is het voor mij overduidelijk geworden dat Sha een oppervlakkig, kil, krankzinnig, neurotisch, ondankbaar kreng is dat alleen maar om uiterlijke schijn geeft. Geen wonder dat Flossy zoveel nachtmerries heeft, waarvoor ze therapie moet krijgen. Al was het maar omdat ik dan wat slaap kreeg. Maar nee, niet alleen daarom. Floss is een lief, opgewekt kind, tenminste als ze bij mij is. Ze verdient beter dan een stel ouders als Sha en Taylor. Die laatste ga ik als het even kan ook uit de weg. Hij is een viespeuk die vroeg of laat iets bij me zal proberen.

Ik ben overwerkt en voel me belabberd en verschrikkelijk eenzaam. Ik heb nog niemand ontmoet. Ik spreek niemand. Ik besta alleen maar voor het kind. Ik moet hier wég. Ik heb het er nog met niemand over gehad, uiteraard. Het is nog maar een idee dat ik pas aan mezelf heb toegegeven. Hoe kan ik al na drie weken weggaan? Waar kan ik heen? Met hangende pootjes naar huis gaan is uitgesloten. Tijdens de twee telefoontjes per week met mijn moeder doe ik heel vrolijk en positief. Ze mogen niet weten dat het tot nu toe rampzalig is gegaan.

Een paar dingen houden me nog op de been. Allereerst de fitnessruimte en het zwembad. Ik ga er bijna elke avond heen. Floss' hypermoderne babyfoon kan de afstand overbruggen, en het personeel is heel aardig. Ze houden het apparaatje op hun bureau en geven een gil als Flossy krijsend wakker wordt, wat nog niet is gebeurd omdat haar nachtmerries meestal pas tegen zonsopgang komen. Door vroeg te gaan zwemmen kan ik bovendien Taylor ontlopen. („Hé, zullen we samen baantjes trekken? Hé, kom je ook even in het bubbelbad?")

Ook het dakterras is een oase, een toevluchtsoord in de betonnen jungle, met z'n unieke bewoner: Iggy. We zijn dikke vrienden geworden. Zodra hij me ziet maakt hij zijn duikvlucht van de tak en wacht op de bodem van de kooi tot ik het deurtje opendoe. Dan doolt hij rond, komt af en toe bij mij kijken terwijl ik op de ligstoel lig. Ik voer hem fruit en sla, en práát tegen hem. Soms fantaseer ik dat hij een betoverde prins is en dat hij als ik hem kus in een enorme kanjer verandert. Ja ja, ik ben rijp voor het gekkenhuis.

Mijn laatste beetje motivatie om te blijven is het geld dat ik spaar. De Bielicka's betalen me een schijntje, maar ik geef ook nauwelijks iets uit. Ik eet wat ik in de koelkast vind en ik ga nooit uit. Waar zou ik het aan uit kunnen geven? Dus ik heb een aardig bedrag gespaard: mijn ontsnappingsfonds.

Op de donderdagse balletles in de eindeloze vierde week raak ik aan de praat met een paar andere kinderjuffen, Cora en Mo. Wanneer ze horen dat ik net uit Engeland ben overgekomen en hier niemand ken, vragen ze of ik zin heb om vrijdagavond met ze mee uit te gaan.

Ik ben opgewonden dat ik eindelijk iets te doen heb in het weekend.

De eerste horde die ik moet nemen, is onderhandelen dat ik vrijdagavond vrij krijg. In Sha's ogen begint het weekeinde pas op zaterdag.

Gelukkig bemoeit Taylor zich ermee. „Stoppen, Sha! Gun die meid eens wat lol! Het is toch leuk dat ze wat mensen van haar leeftijd heeft ontmoet?"

„Daar heb ik ook niets tegen. Ik wijs haar er alleen maar op dat Flossy's badtijd belangrijk is. Als Rowan het afraffelt omdat ze de deur uit wil…"

„O, allemáchtig, Sha…"

„En trouwens, deze vrijdag kan ik niet garanderen dat ik voor negen uur thuis ben! Ik heb een belangrijke bespreking. Jíj vindt het zeker geen bezwaar om Flossy hier zonder toezicht achter te laten, hè?"

„Nee, dat zeg ik niet. Luister, ik zorg wel dat ik op tijd thuis ben, goed? Uiterlijk half negen, oké?"

Uiteindelijk komt Taylor pas om tien over negen aankakken, maar doordat ik me tussen de bedrijven door al heb weten op te maken, kan ik toch nog om kwart over negen de deur uit. Ik ga naar het café waar ik met Cora en Mo heb afgesproken, en daarvandaan gaan we door naar een club. Tegen half twaalf besef ik dat het een complete flop wordt. Cora's en Mo's idee van een avond flink stappen is in een hoekje bijeenkruipen en naar mensen kíjken.

Ze giechelen hysterisch wanneer ik ze de dansvloer op probeer te krijgen – ze verroeren zich niet. Gefrustreerd stap ik in mijn eentje de dansvloer op, en val ten prooi aan de perverse belangstelling van een vent met twee littekens en acht oorpiercings, die te veel gedronken heeft. Ik vlucht terug naar Cora en Mo, die – geschokt bij de aanblik van de jongen – besluiten dat het tijd wordt een taxi naar huis te nemen.

Het is nog geen één uur 's nachts wanneer ik het appartement weer binnenloop. Taylor zit half hangend aan de keukenbar, met vijf lege bierflesjes naast zich.

„Hé, meid!" brabbelt hij. „Leuke avond gehad?"

„Niet echt."

„Ik ook niet, ík ook niet. Enórme rel over of ik wel een pilsje mocht gaan drinken met mijn vrienden. Ze zei dat ik thuis moest blijven voor het geval die koter wakker werd. Omdat ík had gezegd dat jij uit mocht."

„Meneer Bielicka, officieel héb ik op vrijdagavond ook vrij."

In een gebaar van overgave heft hij zijn handen op. „Hé hé, mij moet je niet aanvallen! Ik sta aan jouw kant! Zin in een biertje? Hier, kom erbij."

Aarzelend ga ik op de kruk naast hem zitten. En hij begint me te vertellen hoe geweldig ik het doe, dat hij weet hoe moeilijk Sha is, hoe veeleisend Floss, maar dat ik het allemaal toch maar klaar. „Dat met die weekeinden gaan we oplossen, dat beloof ik je."

Ik begin te denken dat ik hem verkeerd beoordeeld heb, totdat ik het gewicht van zijn klamme hand op mijn dij voel. Als door een wesp gestoken sla ik hem weg.

„Hé, rustig maar," bazelt hij. „Ik dacht gewoon… als je zin hebt in wat ontspanning, dan hoef je de deur niet uit, hoor."

„Wát!?"

„Ja, ik vind je wel een lekker ding." Hij draait zich naar me toe. „Kom op, doe niet zo preuts. We kunnen naar het dakterras gaan, het samen gezellig maken."

Ik schiet van mijn kruk; de poten schrapen piepend over de vloer. „Dit is verdomme niet te gelóven!" schreeuw ik. Dan barst ik in tranen uit, ren de keuken uit en sluit mezelf op in mijn kamertje.

Even later wordt er zachtjes geklopt. „Hé, Rowan," fluistert

Taylor. „Hé, het spijt me."

„Donder op!" sis ik.

„Luister, ik…"

„Donder op."

Er valt een stilte, dan hoor ik iets ritselen bij mijn voeten. Ik kijk omlaag. Er wordt een briefje van vijftig dollar onder de deur door geschoven. Ik pak het op, verfrommel het tussen mijn vingers. Zwijggeld. Hij denkt dat hij me kan afkopen, die griezel. In gedachten zwiep ik de deur open en smijt het geld zo in zijn gezicht.

Maar in werkelijkheid strijk ik het briefje glad, doe mijn portemonnee open en stop het erin. Vijftig dollar voor het ontsnappingsfonds. Vijftig dollar dichter bij de vrijheid.

Vanaf dat moment loopt Taylor met een grote boog om me heen. Hij lijkt zelfs een beetje bang voor me. En wanneer hij en Sha de zaterdagavond daarop weer uitgaan voor een tot mislukken gedoemd gezellig etentje, betaalt hij me dubbel om op te passen.

12

„Dit kán zo niet langer!" brult Taylor.

Het is bijna half acht, ik zit op de rand van mijn bed te wachten tot ik Sha de kamer van Flossy hoor binnenkomen. In plaats daarvan hoor ik gegil en gekrijs uit de grote slaapkamer aan de andere kant van de gang.

„Je moeder?! Dan ben ík vertrokken!" krijst Sha terug.

Ik ga snel naar Flossy, zeg dat haar moeder hoofdpijn heeft en dat ik haar uit bed kom halen. Ik zie aan haar droevige gezichtje dat ze weet dat het niet waar is.

Op de terugweg van de peuterschool loop ik te piekeren. Alarmfase drie is in werking gesteld: ik móét hier weg. Maar Flossy – hoe kan ik Flossy in de steek laten? Ik ben zo'n beetje de enige stabiele factor in haar leven. Ik besluit zo snel mogelijk met Taylor te praten.

Maar wanneer ik het appartement binnenkom, staat hij al op mij te wachten.

„Hallo," zegt hij schaapachtig. „Je hebt de herrie vanochtend zeker wel gehoord?"

Ik knik.

„Ze is gewoon een beetje overspannen. Ze heeft zo hard gewerkt, en bij Sha kan het er dan inééns uit komen. Maar ze draait wel weer bij, Rowan. Ondertussen gaan we de dingen hier anders aanpakken. Ik laat mijn moeder voor een paar weken overkomen. Flossy's Babcia Stasia."

„Babcia…?"

„Babcia betekent oma. Een rasechte Poolse oma. Praktisch ingesteld. Zij weet wel orde op zaken te stellen hier."

Ik aarzel even. Dan zeg ik: „Meneer Bielicka…"

„Taylor."

„Ik hoorde toevallig… Nou ja, volgens mij is Sha er niet zo happig op dat je moeder komt."

„O, dat zegt ze nú, maar ze vindt het heerlijk als ze er eenmaal is." Hij pakt zijn portefeuille en steekt me een briefje van twintig toe. „Hou nog even vol, oké?"

Taylors moeder arriveert twee dagen daarna. Die ochtend blijft Taylor thuis en Sha gaat naar haar werk, bleek en star als een robot, waaruit ik opmaak dat ze onder de kalmeringsmiddelen zit. Ik heb op Taylors instructie de logeerkamer in orde gemaakt, en hij heeft iets 'bijzonders' voor de lunch geregeld.

Flossy wil niet wachten met lunchen, zeker niet voor Babcia, die ze háát, zo zegt ze. Ik probeer haar zoet te houden met wat chips.

Om tien voor twee komt Taylors moeder binnenlopen met een draagmand in de ene en een wandelstok met gouden knop in de andere hand. Ze heeft goudkleurige enkellaarsjes aan, en haar witgrijze haar wordt met een enorme stekelige gouden dahlia op zijn plaats gehouden. Een enorme paarse tentjurk maakt het helemaal af. Sha zou een rólberoerte krijgen, maar zodra ik haar zie, vrolijk ik op.

Taylor laat twee gigantische koffers neerploffen. Babcia zet de mand met een dreun op de grond en begint het deurtje open te maken. Er hangt een gespannen sfeer, alsof ze in de auto ruzie hebben gehad.

„Flossy," smeekt Taylor. „Kom Babcia Stasia eens een kusje geven."

Ik geef Floss een zetje en ze dribbelt onwillig naar haar oma toe, net op het moment dat er een piepklein hondje woest blaffend uit de mand schiet. Krijsend vlucht Floss naar mij terug.

„Koest!" commandeert Babcia, vermoedelijk tegen hen allebei. Ze komt op ons af, tilt Floss op voor een stevige knuffel. „Niet bang zijn voor Pompom!" Dan draait ze zich naar mij toe. „En wie is dit?"

„Dat heb ik verteld, mamma," zegt Taylor vermoeid. „Dit is Rowan, Flossy's kinderjuf."

„Kinderjuf!" schimpt Babcia met afkeurend vertrokken mond. „Waarom heeft Flossy een kinderjuf nodig als ze haar Babcia heeft?"

„Mamma, hier hebben we het al over gehad," kreunt Taylor. „Het is te zwaar voor jou om achter Flossy aan te rennen – al die balletlessen en zwemlessen en…"

„Ha!" roept Babcia. „Dat had jij ook allemaal niet toen je klein was. En als Sharon niet zulke lange dagen maakte…"

„Mamma, alsjeblíéft."

„Ja ja, geen kritiek. Hallo, Rowan, leuk je te ontmoeten. Goed, is de lunch al klaar?"

De lunch is een drama. Babcia geeft af op de luxe kant-en-klaar-hapjes die Taylor heeft gekocht en dreigt Flossy met een portie billenkoek wanneer ze haar mok over tafel gooit omdat ik hem niet snel genoeg bijvul.

Taylor probeert de situatie te redden en brengt een toost uit. „Op jou, mamma. Heel fijn dat je kunt komen logeren."

„Ook al heb je niets te doen voor me," werpt ze terug.

„Mamma, er is zát te doen! Je kunt je meesterlijke gerechten voor ons klaarmaken, om te beginnen. Zodat we samen kunnen eten – aan tafel zitten als een echt gezin."

„Ha! Een echt gezin! Hoe kom je erop? Dacht je soms dat ik

86

kon toveren, jongen?"

De rest van de dag hou ik me zoveel mogelijk op de achtergrond. De eerstvolgende keer dat ik Babcia tegenkom, is de volgende ochtend, wanneer ik Flossy naar school heb gebracht. Ze zit aan de keukenbar, Pompom slapend aan haar voeten. De keuken is niet alleen opgeruimd, hij glimt en blinkt.

„O!" roep ik uit. „U hebt schoongemaakt. Dank u wel, het is…"

„Zeg maar jij, meisje. En jij hebt al genoeg te stellen met mijn kleindochter. Ik heb gehoord wat een stennis mevrouw schopte toen jullie de deur uit moesten."

„Zo doet ze normaal gesproken niet. Ze is… van streek. Ze is eraan gewend dat Sha haar wakker maakt, en de laatste paar dagen…"

„… kan Sharon het niet en laat ze het aan jou over. Typisch." Babcia klopt op de kruk naast haar en glimlacht naar me. „Kom zitten. Ik heb koffie gezet – échte koffie."

Nerveus ga ik zitten en ik neem een slokje uit de mok die ze voor me inschenkt.

„Goed," zegt ze. „Vertel me eens wat er loos is met mijn schoondochter." Maar nog voordat ik iets kan zeggen steekt ze zelf van wal, over hoe het vanaf het eerste moment niet boterde tussen haar en Sha. „Ze lijkt wel een etalagepop, geen vrouw van vlees en bloed. Alleen het uiterlijk telt voor haar. Ze heeft mijn zoon aan de drank gebracht en ze ruïneert dat arme kind."

Ik luister, drink nog een mok van de heerlijke koffie. Af en toe geef ik mijn mening ergens over, waarbij de tranen me een paar keer in de ogen springen.

Babcia klopt op mijn hand, zegt dat ik een groot hart heb en dat ik op een dag een goede moeder zal worden. Het wordt allemaal behoorlijk emotioneel.

We praten door tot ik Flossy weer moet gaan halen, en wanneer we terugkomen heeft Babcia een heerlijke lunch klaarstaan – gebakken aardappels met spek en een soort pompoen. Uiteraard haalt Flossy haar neus ervoor op, maar Babcia belooft haar een cadeautje als ze haar bord leegeet. Dat cadeautje blijkt uit een veiligheidsschaar en wat opgevouwen stroken roze papier te bestaan. Met ingehouden adem wacht ik op de blèrpartij, maar voordat Flossy kan losbarsten, heeft Babcia het papier opgepakt en er een schitterende slinger van roze ballerina's uit geknipt.

Flossy is verkocht. Betoverd.

Terwijl ik *creatief papierknippen en kwaliteitstijd met Babcia* in Flossy's vorderingsverslag noteer, nu al gniffelend om de irritatie die dat bij Sha zal oproepen, knipt Babcia dansende eenden uit. Even later legt ze de schaar en het papier weg. „En dan is het nu tijd voor je dutje, hè, kleine?" Ze schenkt me een grijns.

Ik grijns terug.

We zijn bondgenoten.

Die avond laat ik het voorlezen aan Babcia over en ontsnap zelf naar het dakterras.

„Weet je," zeg ik tegen Iggy terwijl ik hem uit zijn kooi laat, „je ziet er stukken beter uit door al die lichaamsbeweging." Hij wordt ook sneller en sterker. Wat geweldig is, maar het feit dat hij in zo'n klein hok opgesloten zit nog vreselijker maakt.

„Als ik weg wil, Iggy," mompel ik, „moet ik nú gaan, nu Babcia hier is. Zodat zij voor Floss kan zorgen."

Pfff. Alleen de gedachte hier weg te gaan verlamt me al van angst. Ondanks het feit dat het hier een regelrechte hel is, ben ik doodsbenauwd er in mijn eentje voor te staan, geen deel uit te maken van een georganiseerde structuur met een telefoon en

een verbandtrommel en een voordeur met slot en een goedge-
vulde koelkast...

„Ik moet alles op een rijtje zetten, Iggy," zeg ik tegen hem, en
hij schudt zijn getooide kopje naar me. „Ik moet het risico
nemen. Eenzamer en gevaarlijker dan hier kan het toch niet
worden. Alleen met jou in de buurt gaat het nog. Kon ik je
maar meenemen."

De volgende dag begin ik me te oriënteren. Ik neem de perso-
neelsadvertenties in de kranten door, ik bel een paar uitzend-
bureaus. Werken in een hotel lijkt me nog het beste, want dan
kan ik intern wonen.

Uiteindelijk bel ik een groot hotelcomplex ergens in San
Francisco. Het gesprek is veelbelovend maar ik moet me persoonlijk melden om te solliciteren. Volgens mij zou ik me net zo
voelen als ik werd gevraagd zonder parachute uit een vliegtuig
te springen. Wat is er toch mis met me? Waarom ben ik zo laf?
Ik heb geld. Zelfs als ik geen werk vind, overleef ik wel een
poosje.

Inmiddels is Babcia hier bijna twee weken. Het is minder
zwaar voor me omdat zij zoveel in huis en met Floss doet,
maar de avonden waarop Sha thuis is zijn afschuwelijk.
Behalve mij kat ze nu ook Babcia constant af.

En dan te bedenken wat ik haar laatst aan de telefoon hoorde
zeggen: „O, door en door Brits, ja. Zo'n lief en gedienstig kind.
We hebben het vreselijk getroffen met haar. Ze is verzot op
Flossy, en ze doet werkelijk álles voor me... Babcia? Ja, zó
gezellig om haar in huis te hebben! Ze slooft zich zó voor me
uit met die zálige traditionele gerechten van haar..."

De sfeer is niet om te snijden, hij is om te zagen – met een
kettingzaag. Ze dwingen me steeds aan tafel mee te eten en
gebruiken me dan als een soort bufferzone.

In Flossy's belang moet ik vertrekken, terwijl Babcia er nog is. Ik blijf wikken en wegen: vertrek ik in het diepste geheim of confronteer ik Sha en vertel ik dat ik wegga?

13

Het is avond en Babcia verdwijnt meteen na het eten naar haar kamer. Zelf snij ik een grote punt van haar versgebakken walnotentaart, pak wat worteltjes en vlieg met de babyfoon naar het dakterras. Ik laat Iggy los, voer hem de worteltjes en plof neer op de ligstoel.

Beneden hoor ik Sha iets krijsen, en Taylor schreeuwt iets terug, en dan verschijnt Taylor boven aan de trap. „Het wordt hier steeds gezelliger in huis," zegt hij moedeloos. Hij maakt een flesje bier open en klokt het haast in één keer naar binnen.

Ik ben op mijn hoede. Als hij te dichtbij komt ben ik weg.

„Ik ben het zo zat. Ik dacht dat het beter zou gaan als ma hier was – dat zij de boel wel op orde zou krijgen. Maar het lijkt alleen maar erger te worden."

Terwijl ik koortsachtig probeer iets troostends te bedenken, baant Iggy zich een weg onder een varen vandaan.

„Aha, daar ben je, arm beest," zegt Taylor mistroostig. „Moet je zien hoe hij is gegroeid…"

„Ga je een grotere kooi voor hem kopen?" reageer ik meteen.

„O nee, veel te duur. Trouwens, dan zou hij gewoon nóg groter worden."

„Wat gebeurt er dan als… als hij te groot wordt… als hij…"

„Tja." Taylor haalt zijn schouders op, haalt zijn vinger over zijn keel en maakt een bloedstollend gorgelgeluid. „Ze krijgen een spuitje. Net als honden, zei die man."

„Wélke man?"

„Sha heeft een dierenkliniek gebeld. Ze komen hem maandag ophalen."

Verbijsterd staar ik hem aan. „Hoe bedoel je?"

„Ik bedoel dat Iggy hier zijn langste tijd heeft gehad."

Mijn maag draait zich om. „Maar hij is kerngezond!" jammer ik. „Kan hij niet naar een dierentuin of zo?"

„Dierentuinen zitten niet te wachten op nog meer leguanen," antwoordt Taylor onverschillig. „Kijk niet zo, kind! Wat maakt zo'n stomme hagedis nou uit?"

Ik kan me niet bewegen.

Ineens, alsof Flossy in haar dromen heeft opgepikt wat Taylor zegt, klinkt er een doodsbenauwde kreet door de babyfoon.

Nadat ik Floss gekalmeerd en weer in slaap gekregen heb, maak ik twee koppen warme chocolade, loop er voordat ik me kan bedenken mee naar de logeerkamer en klop aan.

„Wie is daar?"

„Ik ben het, Rowan. Ik heb warme chocolademelk bij me."

„Kom erin." Ze zit klaarwakker op bed, Pompom slapend op het voeteneind. Ik geef haar een van de twee mokken. „Dank je, wat lief van je." Ze zucht. „Nou, het is mijn afscheidsdrankje. Morgenochtend vroeg stap ik op de bus."

Ik zak naast Pompom neer. „O, Babcia, blijf alsjeblieft nog even!"

Ze reageert niet, kijkt me alleen over de rand van haar beker aan.

„Het zit zo… ik moet hier weg. Ik word hier gek. Als jij nog wat langer kunt blijven…"

„Ja, maar Rowan," zucht Babcia, „ik kan hier niet komen wonen, of wel? Als jij ontslag neemt, nemen ze gewoon een nieuwe kinderjuf."

„Dat weet ik. Maar als jij hier nou bent om de tijd te

overbruggen... zodat Flossy zich niet zo in de steek gelaten voelt..."

„Maar dat kan weken duren – voordat je opzegtermijn erop zit, voordat zij een vervangster hebben gevonden..."

„Maar als ik nu wegging? Dit weekend?"

Er valt een stilte. „Is het zo erg?" vraagt ze dan.

„Ja. Ze willen nu ook nog Iggy laten afmaken. Maandag wordt hij opgehaald. Babcia, het is een levend wezen. Hij is gelukkig en gezond en... luister, hoe zou jij het vinden als Pompom zomaar een spuitje kreeg?"

„Over mijn lijk!"

„Nou, zo denk ik over Iggy. Hij is zo levendig, zo blij wanneer je hem uit zijn kooi laat. De gedachte dat hij gewoon wordt vermóórd..."

„Neem hem dan mee."

Babcia en ik kijken elkaar aan. Het is een bizarre situatie, maar op de een of andere manier besluiten we op dat moment stilzwijgend dat ik wegga – dit weekend nog – en Iggy gaat mee.

„Doe het morgenavond," fluistert Babcia. „Ik zeg wel dat ze er eens lekker samen uit moeten, desnoods boek ik zelfs een tafeltje voor ze. En dan bied ik aan om op te passen. Tot zondagmiddag laat hoeft niemand je te missen. En dan doe ik net alsof ik nergens van weet en stel ik voor nog even te blijven."

Aangezien ik op zaterdag vrij ben, is het makkelijk mijn ontsnappingsplan in gang te zetten. Het eerste wat ik doe is Sha om mijn salaris vragen. Ze hoort me iedere vrijdag uit te betalen, maar vaak is het pas zondag voor ze het geld eindelijk ophoest, dus ik maak een hoop heisa dat ik wil gaan winkelen, en ten slotte pakt ze haar portemonnee.

In mijn kamer sorteer ik daarna mijn kleren. Ik was mijn

vuile goed en doe de schone kleren alvast in de koffer, die onder het bed ligt.

Zodra Sha, Taylor en Flossy de deur uit zijn voor een onheilspellend klinkende 'kwaliteits-familielunch en - excursie', komt Babcia naar mijn kamer. Ze heeft Pompoms draagmand bij zich. „Zou de hagedis hierin passen?"

Ik glimlach en bedank haar uitvoerig. „Ziet er perfect uit, maar weet je het wel zeker?"

„Natuurlijk weet ik het zeker. Maar ik zou willen dat je er iets voor terugdeed. Ik zou het vreselijk vinden als je wegging zonder afscheid te nemen van Flossy."

„Ik weet het, maar ik durf het niet te riskeren. Als ze overstuur raakt…"

Ze knikt treurig. „Als je haar nou een brief schreef, dan lees ik die voor…"

Mijn volgende zet is de busmaatschappij bellen. Ik kom erachter dat er om tien uur vanavond een *Greyhound*-bus richting Sacramento vertrekt, waar ik dan morgen kan overstappen naar San Francisco.

Ondanks alle eerdere twijfels voel ik me geweldig. Ik ben opgehouden met tobben, ik maak me geen zorgen meer over alles wat er zou kúnnen misgaan. Ik sta op het punt om me in het meest riskante, idiote avontuur van mijn leven te storten.

Het volgende op mijn lijstje is een bezoek aan de dierenwinkel, waar ik wel eerder naartoe ben gestuurd voor leguanenvoer.

„Een leguaan vervoeren?" reageert de jongen achter de toonbank. „Geen probleem. Ze blijven gedwee, zolang ze het niet te warm krijgen."

„Ik heb al een mand voor hem. Alleen… ik ga met de bus. De nachtbus. Ik ben bang dat hij overstuur raakt."

De jongen draait zich naar een wandkast. „Kalmerende krui-dentabletten." Hij zet een potje op de toonbank. „Erg mild, en heel veilig. Je geeft er een tot drie, naar gelang zijn gewicht. Het staat op het potje."

In een flits zie ik voor me hoe ik Iggy op de keukenweeg-schaal probeer te proppen. Ik slik. „Moet ik nog ergens anders aan denken?"

„Het gaat erom dat zijn vochtpeil en temperatuur in balans blijven. Hij mag niet uitdrogen, het niet te warm krijgen, dus je moet hem besproeien. Aan de andere kant mag hij niet onder-koeld raken, dus je moet het niet overdrijven. Maar het is aar-dig warm in zo'n bus, dus ik zou hem wel geregeld nat maken. Hier." Hij zet een smal waterspuitje op de toonbank.

„En dat is alles?"

„Voor onderweg wel, ja. Hoe ga je hem na aankomst huisves-ten?"

Wist ik het maar.

Als ik weer in het appartement kom, zit Babcia op me te wach-ten. Ze vindt dat ik officieel ontslag moet nemen en met *Nursery Sprites* moet bellen. „Anders zal Sha het moeten door-geven, en dan neemt het bureau contact op met je ouders. Ik neem aan dat je dat liever zelf doet?"

Ik knik heftig. „Ik bel mijn moeder morgen wel, als ik mijn nieuwe adres weet."

Ik vertel de zalvende vrouw van *Nursery Sprites* dat mijn positie hier onhoudbaar is, doordat de vader me probeert te versieren en de moeder me voortdurend lastigvalt. Nee, er valt niet over te discussiëren, en ja, ik vertrek vanavond al.

Haar bezorgdheid brengt me van mijn stuk. Ze waarschuwt me dat ze niet verantwoordelijk voor me kan zijn als ik 'm zomaar smeer, waar het volgens haar op neerkomt. Als ik tot maandag kan blijven, regelen ze een vlucht naar huis voor me. Ik zeg dat ik al een andere baan heb, maar dat ik die terugvlucht toch graag wil als dat misgaat.

De vrouw laat me uiteindelijk ophangen met de belofte dat ze halverwege volgende week mijn ouders zal bellen om te controleren of ik ze iets heb laten weten. Meer kan ze niet doen. „Per slot van rekening ben je boven de achttien."

Na afloop ga ik zitten en schrijf ik twee brieven.

Aan meneer en mevrouw Bielicka,

Het spijt me dat ik zomaar wegga. Ik hoop dat Babcia kan blijven en voor Flossy kan zorgen tot jullie een vervangster voor me hebben gevonden. Ik wil al een poos weg hier, om redenen die jullie kennen. Toen ik hoorde dat Iggy zou worden afgemaakt, was dat de druppel. Ik neem hem mee, ik zoek een nieuw tehuis voor hem. Laat Babcia alsjeblieft voor Flossy zorgen. Ze kunnen het zo goed vinden samen. Flossy heeft minder druk nodig in haar leven, en meer plezier.

Rowan

Ik aarzel over het woord 'plezier' – wat ik eigenlijk wil schrijven is 'liefde'. Ik laat het toch maar staan.

De brief aan Flossy valt me een stuk zwaarder.

Lieve Flossy,

Ik moet weg. Ik vind het heel erg dat ik niet bij je kan blijven, en het spijt me dat ik geen afscheid van je neem. Maar ik kon niet voor altijd hier blijven. Ik weet zeker dat Babcia heel goed voor je zal zorgen wanneer pappie en mammie op hun werk

zijn. Iggy gaat met me mee. Hij is te groot om nog op het dak-
terras te wonen. Ik breng hem naar een nieuw huis.

Heel veel liefs,

Rowan

P.S.: Ik zal je schrijven.

Ik weet dat het slap is, vol smoesjes, maar ik kan haar moeilijk de waarheid vertellen, toch?

Tegen half zes ben ik klaar voor vertrek. Ik heb alles wat ik voor onderweg nodig heb in mijn rugzak gepropt. In mijn kamer loop ik een proefrondje met de rugzak op mijn rug, mijn koffer in de ene hand en de draagmand in de andere. Ik kan nog net bewegen.

Ik heb voor negen uur een taxi besteld.

Om half acht help ik Babcia Flossy in bed te stoppen. Samen maken we er een klein feestje van totdat Sha haar hoofd rond de deur steekt en bits vraagt: „Ik dacht dat het vanavond mámma's beurt was, Rowan?"

„Ze is gewoon bang dat je oppasgeld vraagt," reageert Babcia voor ik zelf iets kan zeggen, waarna Sha's hoofd meteen weer verdwijnt. „Al is het misschien wat verdacht, zo met z'n tweeën…"

Dus ik laat Babcia alleen met Floss.

Om kwart voor acht gaan Taylor en Sha de deur uit. Flossy is diep onder zeil terwijl ik door haar kamer sluip.

„Ik zou het liefst nu al gaan," fluister ik tegen Babcia, die in de gang heen en weer drentelt. „Alvast naar het busstation. Ik bedoel… stel dat ze ruzie krijgen en eerder terugkomen?"

97

Babcia slaat haar arm om me heen en knijpt in mijn schouders. „Rustig maar. Die taxi is er voor je het weet."

Om half negen loop ik naar het dakterras. In de mand heb ik een vochtige oude handdoek gestopt en ik heb twee vermalen pillen in een stuk perzik geprakt. „Zin om high te worden, Iggy?" fluister ik. Ik open de kooi en hou het stukje perzik voor het deurtje. Hij strekt zijn nek, maar hij wil niet van zijn tak af komen. Ik hou de perzik onder zijn neus, smeer wat om zijn bek, en hij likt het af en komt tergend langzaam omlaagklimmen. Zodra hij op de grond zit, gooi ik de perzik achter in de mand, pak hem op, prop hem erin en doe het deurtje dicht.

Ongerust tuur ik door het gaas. Hij kijk even verbaasd achterom, maar werpt zich dan op de perzik. „Eet smakelijk, Iggy," fluister ik, „en slaap lekker."

Ik maak de warmtelamp los uit de kooi. Het is een loodzwaar geval, maar ik ben bang dat Iggy doodgaat als hij niet kan zonnen. Samen met de mand sleep ik hem naar beneden, zet de spullen bij de voordeur, haal mijn andere bagage en prop de lamp nog in mijn koffer.

De brief aan Taylor en Sha leg ik in de keuken, dan sluip ik met Flossy's brief naar haar kamer terug.

„Dag, lieverd," fluister ik terwijl ik hem op haar nachtkastje leg. „Ik moet gaan. Je redt het best zonder mij. Je hebt Babcia, zij…" Ik deins terug.

Flossy heeft haar ogen wijd open en kijkt me recht aan. „Rowan…" stamelt ze. Haar mond begint vierkant te worden, zoals altijd wanneer ze gaat huilen.

„Ssst, lieverd," zeg ik wanhopig, „ssst. Ga maar weer lekker slapen…"

„Waar ga je héén?" vraagt ze met een klein, slaperig stemmetje.

„Ik ga ergens anders werken, lieverd. Ik kan hier toch niet

voor altijd blijven?" Ik kijk haar vertwijfeld aan.

„Wel! Ik wil dat je blíjft!" Ze begint te snikken.

Dan voel ik een warme hand op mijn schouder. „Ga maar, Rowan," zegt Babcia. „Het is vijf voor negen. Je taxi staat er vast al. Ik blijf wel bij haar."

„Dag, Floss!" zeg ik met tranen in mijn ogen, terwijl ik haar handjes van mijn nek loswurm en opsta. Mijn maag verkrampt terwijl ik Flossy's gesnik probeer uit te bannen. Wanneer ik bij de deur nog even achterom kijk, heeft Babcia haar kleindochter zo stevig vast, dat ik haar niet eens meer zie.

14

De volgende fase verloopt praktisch zonder haperen. De taxi staat klaar. Bij het busstation haal ik een kaartje en ik kan zo in de bus stappen. De bestuurder roept dat we onze bagage in het luik moeten leggen, en ineens bedenk ik dat er misschien geen dieren aan boord mogen. Met het soort bravoure dat uit paniek wordt geboren, leg ik mijn jasje over de mand en worstel ik me zo ver mogelijk naar achteren, waar ik een plek met veel beenruimte bemachtig.

De bus vertrekt. Het is zalig donker. Aan mijn voeten ligt Iggy vredig te doezelen. Ik sluit mijn ogen en door de monotone beweging van de bus lukt het me om me aan de slaap over te geven. Een heerlijk gevoel van leegte, van vrijheid daalt over me neer. Ik heb geen idee waar ik terecht zal komen, en het maakt me niet uit.

„O, kind, heb je je poesje aan boord gesmokkeld?"

Ik schiet wakker. „Wát…?"

„O, sorry… sliep je? Ik wilde zo graag even die schat in jouw mandje bekijken." Voordat ik haar kan tegenhouden buigt de oudere dame voorover, tuurt in de mand – en veert zo snel weer overeind, dat ze haar hoofd stoot tegen het bagagerek. „Heilige Moeder Maria en Jozef!" roept ze uit. „Dat is een… o hemel, het is afschúwelijk…"

„Ssst!" sis ik smekend. Er beginnen mensen achterom te kijken. „Ssst!" doe ik weer.

„Waarom loop je in vrédesnaam met zo'n beest rond?"

„Ik red hem!" verdedig ik. „Ze wilden hem afmaken, hij was te groot geworden en…"

Ze kijkt me verwilderd aan en sist: „Je laat hem toch niet los in het riool, hè?"

„Wat? Néé!"

„Mijn zwager Abe, hij heeft ze gezien. Krokodillen in het riool, vier meter lang!"

Ik buig me naar haar toe. „Mevrouw, het is een leguaan, geen krokodil. En ik beloof u dat ik hem niet eens in de búúrt van een toilet laat komen. Ik hou van hem!"

„O." Ze kijkt me indringend aan. „Nou, ik heb liever een lieve kat." Dan loopt ze weer terug naar haar stoel.

Wanneer ik in Sacramento eindelijk uit de bus stap, klopt mijn hart nog steeds sneller dan normaal. Nadat de oude dame me bijna in de problemen had gebracht, durfde ik niet meer naar Iggy te kijken en ik ben me er pijnlijk van bewust dat ik hem al uren niet meer heb besproeid.

Zodra ik mijn koffer heb gepakt en een eindje bij de uitstappende menigte vandaan ben gelopen, zet ik de mand neer, doe hem open en voel aan Iggy's huid. Hij is droger dan eerst en ook de handdoek is droog. Voorzichtig bespuit ik hem en hij beweegt slaperig.

„We zijn er bijna, Iggy," zeg ik, terwijl we naar een bankje voor het busstation lopen.

„Iggy. Een punker?"

Ik kijk op. Iets verderop zit een heel knappe jongen. Hij kijkt me aan alsof hij een antwoord verwacht. Zijn gezicht lijkt op zo'n masker dat je wel eens in een museum ziet; krachtig, scherp belijnd en symmetrisch. Maar het is geen masker, het zit vol leven, zijn mond glimlacht heel scheef, en in een van zijn wenkbrauwen zit zo'n grillige kronkel… Hij is bloedmooi. En mijn lichaam is nu al een studieobject voor wat lust met je kan doen. Bonkende hartslag, uitpuilende ogen, klamme handen...

Ik probeer hees en onverschillig te klinken. „Hoe bedoel je?"

„Je leguaan. Iggy. Van Iggy Pop, die Britse punker uit de jaren tachtig."

Zijn stem is diep en sexy. Zuidelijk accent. Omdat hij heeft gereisd, durf ik te wedden, omdat hij de hele wereld heeft gezien. Hij ziet eruit als een fantastische, sexy, ervaren, romantische nomade. „Hoe weet je dat het een leguaan is?"

„Ik zat voor in de bus. Ik zag hoe die oude vrouw schrok toen ze in je mand keek. Kon niet horen waar het over ging. Maar ik was nieuwsgierig, en toen je uitstapte heb ik in de mand gekeken. Ik vind het gemeen, zo'n grote leguaan in zo'n krap hokje."

Oké. Oké! Iggy is de reden dat hij tegen me praat, hij is geïnteresseerd in het welzijn van Iggy, niet in mij. Maar ik geef nog niet op. Zijn aanwezigheid voelt als mijn beloning voor alles wat ik heb doorstaan. En met een beetje geluk neemt hij mij erbij. Eerst Iggy, en mij als een soort extraatje.

„Ik weet dat het niet leuk is voor hem. Maar ik red hem. We lopen weg."

„Serieus?" Zijn ogen worden groot. Prachtige groen-gouden ogen, als van een leeuw. Hij draait zich verder naar me toe, ontspannen en soepel. Hij heeft lange benen, brede schouders, een ongedwongen uitstraling. Blijf in balans, Rowan!

„Voor wie ren je dan weg?"

„Mijn werkgevers. Die schoften hielden hem in een piepklein kooitje op het dakterras en ze wilden hem laten afmaken omdat hij te groot werd. Ik werkte er als kindermeisje, en..."

„Wauw." Nu kijkt hij écht geïnteresseerd. Het zou aan Iggy kunnen liggen, maar... „Schoften," herhaalt hij met mijn accent. „Uit Engeland, hè?"

„Helaas, ja."

Hij lacht, een sexy lach met wijd open mond. Hij heeft blinkend witte tanden, een beetje wolfachtig van vorm.

Het klikt. Het klikt heel erg. Het gaat hem niet om Iggy. In ieder geval niet alléén om Iggy.

„Vertel eens hoe je dat beest hebt gestolen."

Ik kan mijn geluk niet op. Ik zet Iggy's mand neer en ga naast de prachtige jongen zitten en vertel hem mijn verhaal. Het is verbazingwekkend, ik ben zo'n beetje compleet van de wereld van verlangen naar deze jongen en toch lukt het me nog te praten. Het lijkt vanzelf te gaan, en ik geniet ervan alle toestanden te beschrijven, het is alsof er een gewicht van mijn schouders valt.

Hij luistert naar me, zijn blik op de mijne. Af en toe stelt hij een vraag of helpt me verder – hij wíl naar me luisteren. Als mannen eens wisten hoe verleidelijk het is als er naar je wordt geluisterd... Soms glijdt zijn blik van mijn ogen naar mijn mond en blijft daar even hangen. Het is onvoorstelbaar erotisch. Ik besluit met een ietwat geromantiseerde beschrijving dat Iggy en ik midden in de nacht heel romantisch op de eerste de beste bus zijn gestapt die aankwam.

„Wat stoer. Prachtig. En waar ga je nu heen?"

Ik haal mijn schouders op. „Nergens," lieg ik. Plotseling is het uitzicht op een baantje in San Francisco ook nergens meer. Plotseling is het van levensbelang dat ik vrij ben om wáár dan ook heen te gaan. „Ik bedoel, ik kan waarschijnlijk aan de slag in een hotel in San Francisco, maar..."

„Dus je hebt geen aansluiting? Je wacht niet op een andere bus?"

Oeps. Nu ben ik niet zo stoer meer. Ik spreid mijn handen, probeer er tegelijk komisch en kwetsbaar uit te zien. „Ja, nou... Ik heb een kaartje naar San Francisco. Omdat ik er misschien kan werken. Ik wilde eigenlijk alleen maar wég. Ik weet nog niet zeker wat ik verder ga doen. Ik moet een tehuis vinden voor Iggy."

Dan draait hij zich helemaal naar me toe en zegt wat ik amper durfde te dromen. „Waarom ga je niet met mij mee?"

Op slag geloof ik in karma. In geloof dat je in dit leven beloond of bestraft wordt voor wat je in het vorige hebt gedaan. En ik moet in mijn vorige leven een heldendaad hebben verricht, een andere uitleg heb ik niet voor wat me nu overkomt.

„Ik ben op weg naar Truckee," zegt hij hees. „Ik heb een zomerbaan in een hotel daar. Het werk is hetzelfde als overal, maar de woonruimte die je krijgt is super. Daarom ga ik erheen. Het ligt aan een meer – niet het hotel, de hutjes…"

„Hutjes?"

„Ja, ze hebben hutjes gebouwd, huisjes eerder, heel mooi, met veranda's en alles. Aan een meertje op het hotelterrein. Ze waren bedoeld voor avontuurlijke hotelgasten. Alleen is het niet aangeslagen. De gasten vonden de stilte 's nachts vervelend, de afzondering." Hij grijnst prachtig. „Dus nu mag het personeel er logeren. Tenzij ze liever in de muffe kelder onder het hotel zitten."

Ik glimlach. „Het klinkt geweldig."

„Daarom moet je ook met me meegaan." Hij kijkt me recht in mijn ogen. „Hé, ik weet niet eens hoe je heet."

„Rowan."

„Ro-anne. Net als Roseanne?"

„Nee, Rowan. Het is Keltisch voor lijsterbes. Een boom waarmee je heksen van je land kan weren."

„Serieus? Wat grappig." Hij lacht, en dan legt hij zijn hand op de mijne. Mijn hand ligt op de bank, en hij laat de zijne er gewoon overheen vallen, zwaar, zoals wanneer je iemand een klap op zijn rug geeft. „Landon," zegt hij.

Help! Ik zucht. Zijn hand ligt nog steeds op de mijne.

„Voor jou hebben ze vast ook werk."

Hij haalt zijn hand weg, maar ik blijf hem voelen. Ik kijk naar mijn vingers omdat ik hem niet aan kan kijken.

„Als serveerster of zoiets. Of... hé! Er is ook een crèche! Een Engelse kinderjuffrouw in de crèche, daar zullen ze geen nee tegen zeggen!"

„Denk je dat ik zomaar onaangekondigd op de stoep kan staan?"

„Natuurlijk. Je hoort bij mij. Over mij waren ze vorig jaar tevreden. En je bent een stoot."

Ik hoor bij hem en ik ben een stoot. Dat is het, ik ga nú dood van geluk.

„Ze hebben graag mooie mensen in dienst. Niemand vindt het leuk als zijn pilsje door een lelijkerd wordt geserveerd. Zo ben ik ook aan mijn baan gekomen." Hij grijnst.

En ineens weet ik dat het hem helemáál niet om Iggy gaat.

Ik lach terug, maar zodra ik mijn mondhoek omhoogtrek, voel ik dat er een opgewonden gepiep naar buiten wil komen, dus ik trek mijn mond snel weer omlaag. O, wat gebeurt er met me? Ik ben nog nooit zo als een blok voor een jongen gevallen, heb nog nooit zo schaamteloos impulsief gedaan om bij hem te zijn.

„Ik ben nog nooit met een Brits meisje geweest."

Bedoelt hij dat hij nog nooit met een Brits meisje heeft samengewerkt, of op stap is geweest? Of dat hij nog nooit met een Brits meisje naar béd is geweest? O, laat het alsjeblieft, alsjeblieft dat laatste zijn! Beheers je, Rowan. Straks ga je nog hyperventileren. Ik haal diep adem.

Hij kijkt op zijn horloge. „De bus komt over twintig minuten," zegt hij. „Heb je geld voor een enkeltje Truckee?"

„Ja. Hoewel, hoeveel is het?"

„Ik weet niet precies, rond de twintig."

Het is het waard. Het is het waard. Zelfs als ik het geld voor mijn kaartje naar San Francisco niet terugkrijg...

„Ga je mee?" vraagt Landon opnieuw. „Kom op, ga met me mee."

„O, waarom ook niet," zeg ik alsof het maar een opwelling is, alsof ik net zo goed niet mee kan gaan. „Zo'n hutje zou perfect zijn voor Iggy."

„Dat lijkt mij ook. Hij kan er lekker los lopen, zonnen op de veranda. Hé, als jij een kaartje haalt, let ik wel even op hem."

In extase wankel ik naar het loket. Wanneer ik de zuur kijkende vrouw erachter zie zitten, zakt de moed me in de schoenen. Toch lukt het me met veel moeite om mijn kaartje om te ruilen. Ik moet alleen maar vijf dollar administratiekosten betalen.

Grijnzend loop ik terug naar het bankje waar Landon zit...

Zat.

O nee! Wat ben ík een rund! Landon was wel alleen in Iggy geïnteresseerd. Hij is een of andere geflipte idioot die kickt op hagedissen, hij heeft me achtervolgd en nu heeft hij zijn buit – en de rest van mijn bagage – en is ervandoor. Ik zal ze geen van tweeën ooit nog zien. Ik voel me misselijk, alsof ik een klap met een honkbalknuppel in mijn maag heb gekregen...

„Hé! Ro-anne!"

Ik kijk om. En daar ligt hij. Plat op zijn rug in de berm, Iggy's mand open naast hem, mijn bagage daar weer naast. Iggy zit te knikkebollen op zijn dijbeen (hé, eraf, Iggy, die dij is voor mij!).

„Hoi!" roep ik heel achteloos terug.

„Hé, zie je dat? Hij lust kool!"

Deel 3

Het paradijs

15

De reis naar Truckee is verrukkelijk. We weten een plekje ach-
terin te bemachtigen met veel beenruimte voor Iggy's mand, en
nestelen ons voor de lange rit, onderbroken door Iggy's sproei-
beurten. De kalmeringstabletten beginnen duidelijk uit te werken; Iggy hangt om de haverklap aan het waterflesje en gaat
aldoor anders zitten, maar hij lijkt het toch nog wel naar zijn
zin te hebben.

Terwijl Landon meer vertelt over het hotel en hoe het is om er
te werken, probeer ik uit te vinden hoe leuk hij me precies
vindt. Het is moeilijk te zeggen, want hij is zo positief en ontspannen dat hij álles leuk lijkt te vinden; met mij praten, ja,
maar ook het landschap om ons heen, de andere mensen in de
bus en zelfs de bestuurder, die af en toe met een schorre bariton
in een lied uitbarst.

Met Landons lichaam zo vlak naast me kan ik me nauwelijks
op zijn woorden concentreren en het gesprek stokt. Na een
poosje vallen zijn ogen dicht en zijn hoofd zakt langzaam op
mijn schouder.

Mmm. Heel voorzichtig wrijf ik mijn wang over zijn haar. Ik
inhaleer zijn heerlijke, frisse mannelijke geur. Als het meisje
aan de andere kant van het gangpad, dat zich al de hele tijd
aan hem heeft zitten vergapen, me aankijkt, straal ik uit: ja ja,
mijn vriendje. Nou ja, dat wordt hij. Ik zal alles op alles zetten
om daarvoor te zorgen. Het is gewoon een kwestie van tijd.

Wanneer we uitstappen is de zon aan het ondergaan. De

lucht is zwaar van het vocht. Landon, die de laatste helft van de rit heeft geslapen, is opgewekt en energiek. Ik heb geen oog dichtgedaan en ben suf, al ben ik nog steeds in de zevende hemel.

Hij haalt kaartjes voor een laatste korte busrit. Het laatste stuk lopen we over een uitgestorven weg die zich tot aan de horizon uitstrekt. Landon draagt Iggy, waaruit blijkt dat hij niet alleen een lekker stuk is, maar ook nog galant. „We zijn er zo, Iggy," belooft hij Iggy, die inmiddels klaarwakker is en nijdig in zijn mand op en neer schuift. „Je weet niet wat je ziet."

Er passeert een handjevol auto's en vrachtwagens. Een vrachtwagen stopt en de bestuurder vraagt waar we heen willen, maar Landon slaat het aanbod af, zegt dat we geen lift nodig hebben. „Niet de moeite waard," zegt hij tegen mij. „We zijn er bijna." Vijf minuten later bereiken we een bebost gebied en slaan een onverhard pad in, half overwoekerd door struiken. We zeggen niet veel meer.

Landon lijkt in gedachten verzonken.

„We zijn toch niet verdwaald, hè?" vraag ik.

„Tuurlijk niet!" schimpt hij. „Waarom denk je dat?"

„Gewoon… het lijkt zo'n vreemde route naar een groot hotel."

„Het staat midden in de natuur. En we gaan via de achterkant."

„Is er een ingang bij het meer?"

„Ja."

Ik blijf mijn zware koffer van de ene in de andere hand verplaatsen. We lopen al meer dan een half uur, en de lucht is zo klam als een natte deken om me heen; de lucht betrekt met paarse wolken.

„Er is onweer op komst," zegt Landon. „Hoor je dat?"

Ergens in de verte klinkt gerommel, als een waarschuwing,

110

een dreigement. En plotseling besef ik hoe dom ik bezig ben. Jezus, wat dacht ik nou? Met een volslagen vreemde op pad gaan? Ik weet niets van hem af! Hij mag er dan uitzien als een engel, voor hetzelfde geld is hij een zieke psychopaat. We zijn in niemandsland – sinds we het pad op zijn gegaan, zijn we niemand meer tegengekomen. Behalve de rommelende donder is er niets te horen. En niemand heeft enig idee waar ik uithang, ik heb geen telefoon, geen wapen...

Nog even en we komen bij een grot vol afgehakte vrouwenbenen, waar hij me naar binnen sleept. Of een hut... een hut waarin zijn afgrijselijk gemuteerde ooms wonen die hem als lokaas gebruiken om jonge meisjes hierheen te lokken voor hun verdorven experimenten...

„Hé," zegt Landon, „wat loop je te piekeren?"

Ik besluit mijn gedachten voor mezelf te houden. „O, niks," blaat ik. „Gewoon, dat het zo donker wordt."

Mijn benen zijn slap maar ik waggel door. De begroeiing langs het pad wordt hoger, dikker, griezeliger; de lucht wordt haast zwart. Dan is er ineens een felle lichtflits, gevolgd door een keiharde donderslag en tegelijk valt de regen met bakken uit de hemel.

„Kom op!" Landon begint te rennen. „We zijn er bijna!"

Met kletsnat haar, mijn kleren aan mijn lijf geplakt, volg ik hem. En dan zie ik ineens licht door het regengordijn schijnen. Een lantaarnpaal, met een bordje eronder. *Hotel Grand Sequoia.* We ploeteren verder, komen langs een pijlvormig bord met *Sportclub* erop, en dan nog een, met *Bungalows.*

Ik realiseer me dat Landon in orde is. Met mijn hele instinct weet ik dat hij me de waarheid heeft verteld, dat ik hem kan vertrouwen. Van het ene op het andere moment voel ik me weer geweldig.

„Ik heb ze van tevoren gebeld," zegt hij hijgend, terwijl we verder rennen, „dat ik pas laat zou aankomen. Ze zouden de sleutel buiten laten liggen, voor de deur. Ik hoop maar dat ze dat ook gedaan hebben..."

We steken een open veld aan een enorm meer over, dat zwart reflecteert in het donker. De regen beukt op ons in, het kabaal lijkt op een waterval. Iets verderop zie ik in een halve cirkel vaag een aantal huisjes staan. Ze zijn op palen gebouwd en hebben brede houten trappen aan de voorkant. Ze zien er knus en comfortabel uit.

Voor het derde huisje blijft Landon staan. Hij grabbelt onder een steen op de grond en haalt een sleutel te voorschijn. „Yes! Kom op."

We rennen het trapje op, hij doet de deur van het slot en sleept me naar binnen. Hij knipt het licht aan en duwt de deur achter ons dicht.

Het duister is verdwenen, de regen is verdwenen en we staan heel dicht bij elkaar, zwaar ademend en drijfnat. Ik ben compleet overweldigd. Ik draai me om, maar zie nog net dat Landon grijnst alsof hij doorheeft wat ik voel. Hij bukt om de kattenmand open te maken. „Oké, Iggy," zegt hij, „kom maar van de vrijheid genieten."

Iggy rolt de mand uit. Zijn lange reis lijkt hem niet te hebben gedeerd. Hij begint rond te drentelen en onderzoekt zijn nieuwe territorium. Zelf kijk ik ook rond. Het is een heel leuke ruimte – simpel, met houten vloeren, houten meubels, een tapijt met indiaanse motieven en bijpassende zonwering voor de grote ramen aan weerszijden van de kamer. Iggy klimt op de rugleuning van de blauwe bank, schraapt met zijn klauwen over de bekleding.

„Hij wil zonnen," zeg ik, blij dat ik iets kan doen om me af te leiden. Ik doe mijn koffer open en haal de warmtelamp eruit. „Kan ik deze ergens ophangen?"

112

Landon wijst naar een staande lamp in de hoek. „Zou dat ding hem houden? Zo te zien is hij nogal zwaar."

Samen maken we de lamp vast aan de staander. Mijn handen trillen doordat hij zo dicht bij me staat. Ik durf hem niet aan te kijken. Het lijkt wel of hij elektrische straling afgeeft. Of ben ik dat?

Iggy strekt zich meteen wellustig uit onder de lamp. Hij weigert me aan te kijken; misschien heeft hij de smoor in. Door de lange reis, of omdat hij beseft dat hij niet meer op de eerste plaats komt… Voorzichtig haal ik mijn vinger over zijn rug, maar hij zwiept met zijn staart dus ik trek me terug.

„Morgen krijgen we volop zon," zegt Landon. „Dat is altijd na zo'n zware storm. Morgen kan hij naar hartelust zonnen. Morgen is alles fris en groen en prachtig, Ig." Hij grijnst naar me. Hij ziet er zo verpletterend uit wanneer hij grijnst; het zou verboden moeten worden. „Hij zal denken dat hij in het paradijs is beland. En jij ook." Er valt een geladen stilte. „Zullen we die natte kleren maar eens uittrekken?"

„Ja, goed plan."

„Ga jij daar maar heen – dat is de slaapkamer. De badkamer zit ernaast."

„En jij dan?"

„Ik droog me hier wel even af."

Met mijn koffer en rugzak verdwijn ik de slaapkamer in. Ik twijfel of ik de deur achter me dicht moet doen. Ik wil niet neurotisch of afwijzend overkomen. Uiteindelijk laat ik hem op een klein kiertje staan. Terwijl ik om me heen kijk, kleed ik me uit. Mijn doorweekte kleren belanden op de vloer. De slaapkamer is prachtig. Simpele witte wanden, een kledingkast en een commode. En in het midden een groot smeedijzeren bed, bedekt met een prachtige sprei. De regent ratelt op het dak en de sfeer is geheimzinnig en sensueel. Er doemt een beeld voor me op van Landon die zich aan de andere kant van de deur uitkleedt, en ik haal diep en haperend adem. Dan trek ik haastig een handdoek uit mijn tas, droog mezelf af, bindt de handdoek als een tulband om mijn verwarde haar, vis een slipje en beha uit mijn tas, trek die aan en val dan stil. Wat moet ik aan? Moet ik ervan uitgaan dat we hier blijven en mijn pyjama aantrekken? Nee, dat is te doorzichtig. Mijn mooie zijden kimono? Nee, te verleidelijk. Laat ik die maar voor later bewaren. Een spijkerbroek en T-shirt dan maar.

Ik loop de woonkamer in. Iggy zit op de rugleuning van de bank mijmerend te kauwen op een stuk appel dat hij van Landon heeft gekregen.

„Hier ben ik!" roept Landon. Hij staat in een soort grote kast. „Ik maak maar wat te eten voor ons," zegt hij. „Als we naar het hotel moeten in die regen, worden we weer kletsnat."

„Lekker," zeg ik. „Wat een lief keukentje." Het is op z'n zachtst gezegd nogal krap. Aan de ene kant zit een smal gasfornuisje met gootsteen, aan de andere kant een minikoelkastje en daartussenin een stukje aanrecht ter grootte van een snijplank.

„Het ligt ook aan die keukens dat de hutjes niet zijn aangeslagen. Op dwergen gebouwd. Hopeloos voor de gemiddelde Amerikaan. Ik bedoel, in die koelkast kun je hooguit voor een paar uur tussendoortjes kwijt."

„Wat ben je aan het maken?"

„Pasta met sardines," antwoordt hij trots. „Er stond nog een blikje. En de pasta is maar een paar maanden over de houdbaarheidsdatum."

Ik probeer enthousiast te kijken. Van sardines ga ik boeren – niet bepaald romantisch. Maar ja, dat zal bij hem ook wel zo zijn. Bovendien heb ik zo'n honger en vind ik het zo lief dat hij voor me kookt… „Ik heb nog wat nootjes in mijn rugzak," zeg

114

ik. „Hele dure. Van mijn baas gepikt."

„Super. We maken er een feestmaal van. Hé, wat vind je er tot nu toe van, hier?"

„Geweldig!"

„Wacht maar tot je het morgen bij daglicht ziet."

Er is geen ruimte voor mij in de keuken... niet tenzij ik heel intiem wil worden, wat ik best wil, maar wat ik nog niet kan maken... dus loop ik terug naar de woonkamer. Landon heeft de felle plafondlamp uitgedaan; alleen Iggy's warmtelamp werpt een gloed over zijn groene rug en de blauwe bank. Een van de schuiframen staat open en het geluid van de regen en het geborrel in de dakgoot vult de ruimte, samen met een aardachtige geur. Ik loop naar de voordeur, trek hem open en kijk naar buiten. Het is warm. Het meer is een zwarte vlek.

„Bijna klaar!" roept Landon. „Heb je trek?"

„Uitgehongerd!"

„Uitgehongerd," doet hij me met een Brits accent na. Lachend giet hij de spaghetti af, en mijn hart slaat een slag over. Hij is zo fantastisch, en toch voel ik me merkwaardig ontspannen bij hem. We zijn hier samen, er is geen druk, we zijn niet op een feest waar iemand anders hem zo kan inpikken...

Glimlachend denk ik terug aan hoe bang ik een uur geleden nog was, hoe ik mezelf voorhield dat hij wel eens een seriemoordenaar kon zijn. Op zich kan dat natuurlijk nog steeds. Mijn moeder zou een rolberoerte krijgen als ze me kon zien. Nou, jammer dan. Ik voel me hier veel veiliger dan bij de Bielicka's.

Landon komt met twee stomende borden de keuken uit.

Ik laat de deur openstaan, loop naar de tafel en we gaan tegenover elkaar zitten, als minnaars, en eten de eerste happen zwijgend, behalve dat ik zeg: „Lekker!" (Ach, het is niet écht heel vies.)

Landon gebaart met zijn hoofd naar het regengordijn buiten. „Het houdt maar niet op, hè? Luister, Ro-anne, ik heb zitten denken." Hij legt zijn vork neer. „Het is al laat. Het heeft geen zin nu nog naar het hotel te gaan om een baantje voor je te regelen."

„Nee, ik denk het niet." Ik voel me verontrust en opgewonden tegelijk.

„Dat betekent dat we allebei hier moeten slapen." Hij buigt zich naar me toe. „Ik weet dat het raar is, we kennen elkaar nog maar net. Ik wil alleen maar zeggen dat ik niets zal proberen met je, oké? Ik slaap wel op de bank, neem jij de slaapkamer maar. Goed?"

„Goed. Ik bedoel, bedankt. Dat is heel lief van je."

We besluiten de maaltijd net zoals we begonnen, in stilte, terwijl ik mijn hersens pijnig om te bepalen wat hij bedoelde: dat hij me helemaal niet ziet zitten, of me wel ziet zitten maar zich beheerst, of iets daartussenin.

„Ik heb nog steeds trek," zegt hij terwijl hij zijn bord leegschraapt. „Hoe zit het met die nootjes?"

Wanneer ik met twee zakjes van Sha's luxe mix terugkom, zit Landon een joint te draaien. „Geen bezwaar?" vraagt hij.

„Eh… nee hoor."

„Ook een haaltje?"

„Eh…" Ik kijk toe terwijl hij opsteekt en inhaleert, zijn ogen vol genot sluit. Om de een of andere reden ben ik een beetje teleurgesteld. Een klein beetje maar. Van marihuana heb ik nooit veel moeten hebben. Ik heb wel eens een trekje genomen, maar het deed me weinig. En als mensen om me heen stoned worden, voel ik me buitengesloten, alsof ze een geheim delen waarvan ik niet zeker weet of ik het wel wil weten.

„Ah, daar had ik zin in," verzucht hij. „Het is een lange dag geweest. Hier." Hij steekt me de joint toe. Ik neem hem aan,

116

neem een vlug, halfslachtig pufje en geef hem terug.

„Niet aan je besteed, hè?"

„Niet echt. Geef mij maar een borrel."

„Ja, ik zou ook best een biertje lusten. Morgen slaan we wel een voorraadje in."

We. Hij zei we. Ik glimlach naar hem, en wanneer hij me de joint weer voorhoudt, schud ik mijn hoofd en trek een zakje nootjes open. En we zitten zwijgend tegenover elkaar, met alleen het geluid van de regen, zijn inhaleren en het kauwen op de nootjes. Zijn ogen zijn half gesloten en ik kan hem ongemerkt observeren, hem bestuderen.

„Ik ga even relaxen," zegt hij dan en hij verhuist naar de bank.

Ik overweeg bij hem te gaan zitten. Hij zei dat hij niets zou proberen. Als ik nou eens het initiatief nam... als we nou alleen maar zoenden... Ik heb zo'n zin om hem te zoenen. Een zoen die een soort bezegeling moet zijn.

Dan zie ik dat de joint in de asbak naast hem is uitgegaan en hij als een blok ligt te slapen.

16

Wanneer ik de volgende ochtend wakker word, schijnt de zon in felle bundeltjes op de witte muren. Het duurt even voor ik doorheb waar ik ben. Dan begint mijn hart meteen te hameren van opwinding en nervositeit.

Oké, Rowan, je wilde vrijheid, avontuur, liefde zelfs. Dus kom je nest uit en ga erachteraan!

Ik spring onder de douche, maak me razendsnel op en kleed me aan. Ik loop de woonkamer in. De buitendeur staat open, en Landon zit op de veranda, met Iggy gezellig naast zich. „Hoi," zeg ik zenuwachtig. „Eh… de badkamer is vrij."

„Ik wilde je niet storen," zegt hij opgewekt. „Hé, wat vind je ervan?"

Ik kijk om me heen. Hij had gelijk, het is adembenemend in het zonlicht. In mijn ogen was het dakterras een paradijs, maar vergeleken bij dit was dat benauwde, ingesloten namaak. Dít is het paradijs, weelderig groen en fris door de regen van gister-avond. Het meer glinstert. Het is omgeven door een zoom van allerlei planten en struiken en aan de overkant is er schaduw door overhangende bomen. Op de vogels na is het stil.

„Schitterend," breng ik uit.

„Ja, hè? Ik kan er geen genoeg van krijgen."

„Moet je Iggy zien. Die is in de zevende hemel."

„Ja, lekker in het zonnetje," knikt Landon.

„Zitten er ook mensen in die andere huisjes?" Het zou nog meer op het paradijs lijken als wij tweeën hier alleen waren…

„Ik weet het niet. In die laatste wel, volgens mij. Maar verder is het nogal rustig. Hé, als je klaar bent, kunnen we naar het hotel. Ik heb koffie nodig. Dan kunnen we je aanmelden, een baantje regelen, zorgen dat je je eigen hutje krijgt, oké?"

„Eh… oké. Ik ben klaar."

Hij springt overeind. „Kom op."

„En Iggy? Moet ik hem buiten laten?"

„Natuurlijk. Hij blijft wel op de veranda. Of misschien neemt hij een duik…"

„En als hij nou wegloopt?"

„Dat is dan zijn eigen keuze, toch? Ik bedoel, je hebt hem gestolen om hem de vrijheid gegeven. Nou dan?" Hij kijkt me aan. „ Wat gebeurt, gebeurt."

Wat gebeurt, gebeurt – volgens mij is dat zijn levensmotto, en om de een of andere reden maakt dat me onrustig. Hij loopt het trapje af en ik volg hem. Onderaan draai ik me om en zie Iggy bovenaan zitten, zijn kopje schuddend. „Blijf hier, hè, Iggy?"

Het meer ziet er koel uit, schoon en uitnodigend. „Zodra we alles geregeld hebben, gaan we zwemmen, hè?" zegt Landon.

„Ja, lekker," antwoord ik gretig. In gedachten probeer ik al te kiezen tussen mijn afkledende zwarte bikini en de rode met het sexy topje. „Het water ziet er heerlijk uit."

„Het is ook heerlijk. Het wordt gevoed door een kleine bron, het water wordt constant ververst."

We lopen het bos in, over een smal, overwoekerd paadje.

„Dit noemen we het sprookjesbos," zegt hij.

„O ja?" Ik lach. „Ik zie geen kabouters."

„Die zie je alleen 's nachts. Als je hier na je dienst doorheen loopt, hoe belabberd je je ook voelt, hoe de gasten ook hebben lopen zeiken, halverwege dit bos glijdt alles van je af."

„O ja?"

„Ja. Ik heb hier heel wat magische momenten meegemaakt."

Ik vermoed dat die magie door joints was opgeroepen, en misschien door seks, dus ik vraag niet verder, en we lopen zwijgend het pad af. Vanuit het bos stappen we een open vlakte op. Aan de overkant, voorbij een minigolfbaan, staat het hotel. Ineens krijg ik het benauwd. „Naar wie gaan we precies toe?" sis ik.

„O, naar Derek, de personeelschef. Geen zorgen, je valt wel in de smaak bij hem. Ze hebben in de zomer altijd extra mensen nodig. Het komt in orde, vertrouw me maar."

Ik loop slaafs achter hem aan over het veld. Maar als het nou niet in orde komt, denk ik paniekerig. Als ze nou geen werk voor me hebben? Wat moet ik dan? We passeren de glazen pui van een sportzaal, waar een paar dikke gasten met rode hoofden puffend op trimfietsen zitten.

Landon trekt een deur open. „Hierheen." Hij loopt een gang in die volhangt met foto's van sporters. „Dereks kantoor. Hopen dat hij er is."

Een zwarte man in korte broek, met een stapel blauwe handdoeken in zijn handen, komt uit een deur iets verderop en blijft theatraal staan. „Landon, grote vriend!"

„Hé, Clint!"

„Ze zeiden al dat je weer kwam! In de sportzaal of het zwembad?"

„Ik weet het niet. Aan de telefoon hadden ze het over de bar."

„O, dat is niks, man! Kom in de sportzaal werken! Ik maak een heuse held van je. De vrouwen zullen voor je in de rij staan voor massages!" Hij grijnst zijn spierwitte tanden bloot. Ik kan hem wel slaan. Ben ik onzíchtbaar of zo?

Alsof hij mijn woede aanvoelt richt hij zijn grijns op mij. „Sorry, mop. Horen jullie bij elkaar?"

„We zijn elkaar bij het busstation tegengekomen," zegt Landon lijzig. „We gaan ons even melden bij Derek."

120

Clint slaat zijn ogen ten hemel. „Nou, sterkte. Hij is de laatste dagen niet te genieten. Oké, ik zie jullie nog wel."

Terwijl we verder lopen, voel ik me weer ongemakkelijk. Hij verslijt natuurlijk de ene vrouw na de andere, versiert ze en dankt ze weer af. Ik bedoel, met zijn uiterlijk zou dat niet zo verbazend zijn, of wel? Het zou zelfs eerder verbazend zijn als hij niet...

„Ro, wat is er? Ben je niet lekker?"

„Nee, gewoon bang," mompel ik. „Wat Clint over die Derek zei... dat klinkt niet veelbelovend."

„Welnee, niks aan de hand. Derek is altijd chagrijnig. Hé, we zijn er."

Hij roffelt zelfverzekerd op een groene deur met de woorden *D. Sargeant – Hoofd Recreatiemedewerkers* erop.

„Binnen!" klinkt een krakerige stem.

We lopen de kamer in. Een broodmagere, kalende man met hangende schouders tuurt ons van achter een volgestouwd bureau aan. „Aha! Landon, nietwaar?"

„Ja, meneer. Landon Peters. Ik heb u gebeld, weet u nog?"

„Ja ja. Fijn dat je weer komt. We hebben vorige week nog drie mensen moeten ontslaan. Diefstal. We zitten echt vreselijk omhoog."

Landon geeft me een por. Het voelt niet echt als een por, eerder een streling, een liefkozing... Ik voel dat ik vuurrood word. Helaas kiest Derek uitgerekend dat moment om zijn waterige blik op me te richten. „En dit is...?"

„Ro-anne, meneer. Ze komt uit Engeland. Een echte Britse kinderjuffrouw."

„Zo zo." Hij neemt me van top tot teen op.

„Ik ben door een bureau in Londen uitgezonden," leg ik uit. „Ik heb voor een gezin in Seattle gewerkt, maar ik ben nogal plotseling vertrokken omdat..."

„Zeg maar niets," onderbreekt Derek me vermoeid. „De man des huizes kon zijn handen niet thuishouden. Een referentie hoef ik zeker niet te vragen, hè?"

En dan slaat Landon ineens zijn arm om mijn schouder. „Ze is ontzettend naar behandeld, meneer. Schandalig."

Het plotse lichaamscontact bezorgt me haast een duizeling, maar ik weet uit te brengen: „Ik kan u het nummer van het bureau geven, dan kunt u ze bellen en…"

Met een handgebaar legt Derek me het zwijgen op. „Niet nodig. De helft van de referenties zijn sowieso het papier waarop ze zijn geschreven niet waard. We laten je een dagje proefdraaien in de crèche. Als je niet voldoet, krijg ik dat meteen te horen van Maria."

„Dank u wel," pruttel ik, nu al doodsbang voor Maria.

„En jij mag achter de bar, Landon," krast Derek. „We hebben een flitsend type nodig, maar je gaat zo direct eerst naar de kapsalon en laat je haar knippen. Jullie beginnen vandaag. Middagploeg. Allebei, oké?"

„Prima," zegt Landon, en ik weet nog een keer „dank u wel" uit te brengen.

„Zelfde uurloon?" vraag Landon.

Derek lacht zuur. „Volgens mij is het sinds vorig jaar met vijfenzeventig cent omhooggegaan. De fooien mag je nog steeds zelf houden, die worden niet in een pot gedaan." Hij kijkt naar mij en voegt eraan toe: „Landon kent het klappen van de zweep, hij legt je wel uit hoe het hier gaat. Goed, nog vragen?"

„Eh… meneer?" vraagt Landon. „Ik heb Ro-anne de hutjes laten zien, en ze zou er zelf ook graag eentje willen…"

Een vreemd klikkend geluid, waarvan ik achteraf besef dat het een lach is, komt uit Dereks mond. „Geen spat veranderd, hè, Landon?"

„Meneer, Ro-anne houdt van de natuur, dat is alles."

„Ach, er staan er nog een paar leeg." Hij staat op, trekt het deurtje van een wandkast achter zijn bureau open. „Jij hebt je sleutel al, Landon?"

„Ja, die hebben ze gisteren voor me neergelegd."

„Oké." Hij haalt een sleutel uit een bureaula. „Alsjeblieft, Rowan. De sleutel van je nieuwe huis."

„Zie je wel," zegt Landon, terwijl ik hem de gang in volg. „Derek is niet zo'n kwaaie."

„Maar die Maria zo te horen wel," zeg ik nerveus. „Ken je haar?"

„Ik weet wie ze is."

„En?"

„Mexicaanse. Heeft zich omhooggewerkt. Regeert de crèche met ijzeren vuist. Beetje opvliegend. Je redt het wel."

„O fijn," kreun ik. Maar ik denk niet echt aan Maria. Mijn hersenen draaien als een centrifuge rond. Wat bedoelde Derek met 'geen spat veranderd'? Ik weet dat ik het niet kan vragen, en als ik eerlijk ben, hóéf ik het ook niet te vragen.

„Kom op, Ro, ik ben uitgehongerd. Laten we gaan ontbijten. Dan kun je daarna komen kijken hoe ze mijn haar afknippen, en breng ik je voor twaalven naar de crèche."

We lijken uren door het hotel te lopen, trappen op, door met manshoge planten gevulde gangen, langs deuren naar restaurantzalen.

„Jemig, wat is het groot," roep ik uit. „Het lijkt wel een compleet dorp."

„Ja, maar dat is wel zo prettig. Je kunt je gemakkelijk verstoppen, anoniem blijven. Luister; personeel kan gratis eten in de twee goedkoopste restaurants, zolang ze niet meer dan twee-derde vol zitten. Wat zelden gebeurt, omdat ze zo waardeloos koken. Het ontbijt is wel te doen, en je kunt altijd hamburgers en pizza nemen. Vorig jaar heb ik aangepapt met het keukenpersoneel – kon ik ingrediënten meenemen naar mijn hut. Dat is het beste."

„Als jij aan eten kunt komen, zal ik koken," zeg ik, in de hoop hem vast te pinnen voor vanavond.

„Laten we maar zien hoe het loopt." Hij loopt een van de restaurants in, dirigeert me naar een zitje aan de zijkant, en direct staat er een knappe, mollige serveerster bij ons tafeltje.

Ze straalt van top tot teen. „Lándon!" krijst ze. „Ze zeiden al dat je er weer was!"

„Ha, Gloria. Nog steeds even mooi, hè?"

Met haar schrijfblokje geeft ze hem een tikje op zijn hoofd. „En jij nog steeds even glad, hè?"

Deze keer word ik niet voorgesteld – dat verwacht ik ook niet. Maar Gloria is heel aardig terwijl ze mijn bestelling van omelet met ham opneemt. „Ik breng jullie eerst een lekkere pot verse koffie!" koert ze.

Als ze wegloopt, buig ik me over het tafeltje naar Landon toe. „Jij kent echt iedereen hier, hè?"

Hij haalt zijn schouders op, alsof hij geen zin heeft om te antwoorden, en schenkt me dan een adembenemende glimlach. „Binnen een dag voel jij je hier ook helemaal thuis."

Wist ik maar wat hij dacht. Wist ik maar of hij me laat stikken zodra hij me bij de crèche heeft afgezet.

17

Na het ontbijt volg ik Landon het hotel door, een galerij vol winkeltjes met kleding, sportartikelen en cosmetica. „Daar zit de kapper," zegt hij. „Ik vraag even of ze me ertussen kunnen schuiven. Ga jij maar even een kwartiertje rondneuzen, oké?"

„Ja hoor." Ik kijk toe terwijl hij naar binnen loopt en de zoveelste medewerker begroet als een verloren gewaande vriend. Ik maak een rondje langs de boetiekjes. Daarna wacht ik voor de kapper en staar hem door de etalageruit aan. Ik zie zijn gezicht in de spiegel voor hem. Het zal hem goed staan, korter haar – krachtiger, stoerder, meer gestroomlijnd. En zijn nék... ik vind mannennekken altijd ongelooflijk sexy. In de rij voor de kassa staan, kan voor mij een erotische belevenis zijn. En Landons nek die onder de schaar te voorschijn komt, is verrukkelijk, gebruind met een lief wit streepje net onder het afgeknipte haar, en gespierd, en... oeps. Via de spiegel zit hij me recht aan te kijken. Hij steekt zijn hand op en zwaait. Ik zwaai zogenaamd onverschillig terug, draai me op mijn hakken om en ga op een van de bankjes onder een potpalm aan de overkant van de zuilengang zitten.

Vijf minuten later staat hij voor me. „En?" vraagt hij terwijl hij door zijn haar woelt. „Niet te kort?"

„Nee, prima." Het is fantástisch.

„Het moet boven de kraag zijn. Wacht maar tot je me in mijn zwarte baroverhemd ziet." Landon kijkt op zijn horloge. „Tien voor twaalf. Kom op, je moet inklokken."

We lopen een brede helling op, aan weerszijden geflankeerd door uitgezaagde circusolifanten en clowns. De figuren hebben iets sinisters. De clowns zien er kwaadaardig uit, de olifanten krankzinnig. Bij de deur krijg ik het gevoel dat ik had toen mijn moeder me op mijn eerste schooldag achterliet.

„Ik ga weer verder, oké?" zegt Landon nerveus. „Maria wil niet dat ik in de weg loop. Gewoon naar binnen gaan en zeggen wie je bent. Derek heeft het vast al doorgegeven. Hij is mega-efficiënt."

„Hoe lang duurt zo'n dienst?" vraag ik pieperig.

„Vier uurtjes maar."

Viér uur? Hoe moet ik dat overleven?

„Volgens mij met een pauze, hoor," voegt Landon er bij het zien van mijn benepen gezicht aan toe. „Weet je het wel terug te vinden, na afloop? Gewoon het minigolfterrein over, dan het bos in…"

„En het pad volgen. Ja, dat lukt me wel." Dan schiet me iets te binnen. „O nee, Landon, ik ben Iggy helemaal vergeten!"

Hij legt zijn hand op mijn arm. „Ik ren in mijn pauze wel even heen en weer."

„En laat je dan even weten hoe het gaat?"

„Ja, als ik tijd heb. Geen paniek! Ga nou maar. Het is bijna twaalf uur. En ik moet naar de bar."

„Landon, bedankt," zeg ik hartstochtelijk en in een impuls ga ik op mijn tenen staan om hem een kus op zijn wang te geven. Tegelijkertijd buigt hij zijn hoofd en onze neuzen stoten tegen elkaar. Het is gênant, afgrijselijk; we deinzen achteruit, durven elkaar niet aan te kijken. „Dág!" snerp ik, en ik schiet de deuren van de crèche door.

Het is alsof ik een andere wereld binnenstap. Allemaal knalkleuren en kindervormen – zitzakken, dozen, klimrekken, ballen – en overal van die kwaadaardige circusfiguren, van

126

geesteszieke tijgers en hondsdolle konijnen en bloeddorstige trapezeartiesten... De harde muziek kan het kabaal van krijsende peuters en kleuters niet overstemmen. Ze zitten allemaal bij elkaar aan de andere kant van de zaal, waar een meisje met een gestreept stokje geestdriftig op de maat van de muziek staat te zwaaien, in een vergeefse poging ze te laten zíngen...

O help. Ik voel me net een muis die uit zijn kooi is ontsnapt en meteen in een grotere is opgesloten – in een proefdierlaboratorium. Wat doe ik hier? Waarom kan ik niet samen met Landon aan het meer zitten?

Iemand komt op me af marcheren. Een gedrongen vrouw met een stevig figuur en inktzwart haar in een paardenstaart. Het kan niemand anders zijn dan Maria. „Rowan?"

„Ja, hallo!"

„Meneer Derek heeft me gebeld. Jij hebt al eerder in een crèche gewerkt?"

„Eh... niet in een crèche, maar als kinderjuffrouw en..."

„Niet te vergelijken," snauwt ze. „Hier ben je schooljuf, lieve schooljuf voor kinderen die veel hulp nodig hebben. Aardig, streng, orde, eerlijk. Tante en scheidsrechter tegelijk."

Maria vuurt haar woorden met een zwaar Spaans accent als kogels op me af, en ik moet elke zin even laten bezinken voor ik begrijp wat ze heeft gezegd. Daardoor, besef ik, krijgt ze de indruk dat ik sloom ben, een beetje dom zelfs.

„Zo!" vervolgt ze. „Vandaag doe jij dienst op proef!"

Bij haar toon krijg ik pijnbanken en duimschroeven op mijn netvlies.

„Wij kijken hoe jij het doet, of jij het aankunt, of de kinderen jou leuk vinden. Maar eerst moet je je uitkleden."

„Uitkleden?" herhaal ik wezenloos.

„Uitkleden!" houdt ze vol. „Wij dragen hier een uniform. Dat is efficiënt en staat professioneler." Ze draait zich om en marcheert naar een deur. Ik volg haar een klein kamertje in. „Voor jou!" snerpt ze en ze wijst naar het laatste knaapje op een kledingrek.

Ze werpt een kritische blik op mijn lichaam, trekt een kast open, zoekt door een rek afzichtelijke roze jurken, haalt er een uit en drukt die in mijn handen. Dan wijst ze naar een grote rieten mand in de hoek. „Voor de was. Probeer je jurk twee dagen schoon te houden. Maar dat lukt niet altijd…"

Ik kijk haar vragend aan."

„Lijm. Verf. Urine," legt ze uit. „Kleed je nu maar om." Ze loopt de kamer uit en slaat de deur met een klap achter zich dicht.

Opgelucht dat ik even alleen ben, haal ik een paar keer diep adem. Dan begin ik me uit te kleden. De kleedkamer is behoorlijk goed uitgerust, met een douchecel en apart toilet, een tafel met een koffiezetapparaat en… o heerlijk… een grote waterkoeler. Ik loop er half uitgekleed naartoe en drink gulzig een paar bekertjes koud water.

Helaas hangt er een manshoge passpiegel aan de wand, zodat ik kan zien hoe monsterlijk ik eruitzie in de jurk. Als een snoeproze kussen met een ingesnoerde taille. Met pófmouwtjes. Ik moet moed verzamelen om naar buiten te durven.

Tot mijn opluchting staat niet Maria maar een vriendelijk uitziend zwart meisje me op te wachten. „Hallo," zegt ze, „ik ben LaToya."

„Hallo! Ik ben Rowan."

„Weet ik. De Britse kinderjuf."

„Nou, ik kom uit Engeland en ik heb een paar maanden als au pair gewerkt. Ik weet niet of dat hetzelfde is."

„Nou, Maria loopt al rond te bazuinen dat we een Britse in dienst hebben. Klinkt goed."

„Hm, als het helpt om een baantje te krijgen…"

„Na een week met deze ettertjes ben je niet zo happig meer!"

„Zijn het van die ettertjes?"

„De meeste wel. Rijkeluiskindjes, hè? Ze zijn allemaal ontie-gelijk verwend."

„O fijn. En toch moeten we aardig zijn tegen ze?"

„Poeslief. Oké, ik zal je een beetje wegwijs maken. Kom op."

Ik volg haar naar een lange, lage tafel, met acht kleine stoel-tjes aan elke kant. Er staan bakjes met popperige schaartjes en potloden op, en dozen met felgekleurd stickerpapier en houten vormen van vissen, dinosaurussen, treinen…

„Rowan, ik zal er niet omheen draaien," zegt LaToya op gedempte toon. „We zijn een soort veredelde oppassers, ja. Maar het is belangrijk dat de ouders denken dat hun bloedjes iets núttigs doen met hun tijd, iets educatiefs. Dus bij het teke-nen en kleien en alles – zorg ervoor dat het er netjes uitziet, oké? Want ze nemen het mee."

„Je bedoelt…"

„Het van ze overnemen, ja. Desnoods maak je zo'n werkje helemaal zelf."

„Maar dat is…"

„Oplichterij, ja. Welkom bij de ploeg."

Ik merk dat ik LaToya meteen graag mag.

Ze trekt een grimas. „Pas op," sist ze. „Daar heb je de chef."

We draaien ons om en zien dat Maria bezig is om acht kinde-ren naar de tafel te dirigeren. „Veertig minuten knutselen, vijf minuten pauze, dan nog twee sessies!" tettert ze. Ze pakt LaToya bij de arm en verdwijnt.

De kinderen, die onder Maria's toezicht heel rustig en netjes waren, richten zich als een horde hyena's op mij.

„Wie bén jij?"

„Wat gaan we doe-hoen?"

„Dat is saaaaai!"

„Ik wil niet zítten!"

O help. Pompen of verzuipen. Ik plak een brede 'ik ben hier de baas'-grijns op mijn gezicht. „Wie houdt er van dinosaurussen? Ga allemaal eerst maar zitten!" zing ik, terwijl ik in mijn handen klap. „We gaan de állermooiste dinosaurussen maken van de héle wereld!" Ik grijp het meisje dat er het oudst uitziet bij haar schouder. „Hoe heet jij?"

„Chelsea," antwoordt ze verwaand. „En jij?"

„Rowan. Chelsea, ik durf te wedden dat jij héél goed rondjes kunt knippen."

„Ja, dat kan ik héél goed!"

„Hier." Ik steek haar een diplodocus-vormpje toe, een potlood en een vel oranje stickerpapier. „Wie kan er nog meer iets héél goed?"

Binnen een mum van tijd heb ik een hele productielijn aan de gang. Zodra Chelsea klaar is met haar diplodocus, gooi ik een tyrannosaurus voor haar neer. Zelf leg ik zeven vellen onder haar diplodocus-vel en knip die in één keer uit. De kleinere kinderen zitten enthousiast dikke groene punten te knippen voor het oerwoud

Iedereen doet mee en godzijdank loopt het goed, want ik merk dat Maria me vanaf de andere kant van de zaal als een havik in de gaten houdt. Met nog drie minuten over, heeft iedereen een collage waarvan zelfs de meest kritische ouder steil achteroverslaat. „Oké, namen!" roep ik. „Als je kunt schrijven, zet je je naam erop. Anders doe ik het voor je. Dan weet je zeker dat je straks de goede meeneemt!"

Wanneer we alle namen erop hebben gekalkt, komt Maria aanlopen en ze klapt in haar handen. „Goed gedaan, jongens en meisjes! Leg ze maar in het vakje om mee te nemen. Wat zullen jullie pappa's en mamma's trots zijn!" Terwijl de kinderen van tafel stuiven, draait ze zich naar mij toe en haar stralende glimlach verdwijnt als sneeuw voor de zon. „Je doet het redelijk, Rowan. Vijf minuten pauze."

Ik loop naar het kamertje en bots bijna tegen LaToya op, die net naar buiten komt.

„Er staat verse koffie," zegt ze. „Je hebt net genoeg tijd om je keel te verbranden!"

Ik schenk een mok vol. Achter de ketel staat een halfgevulde koektrommel; ik prop er twee in mijn mond. Ik heb súíker nodig. Deze sessie is goed gegaan, maar met de energie die het me heeft gekost, kun je een kerncentrale op gang houden. Het is wennen meer kinderen tegelijk in het oog te moeten houden.

De deur zwaait open. „Volgende groep!" blaft Maria.

Jemig, zijn die vijf minuten nu al voorbij? Ik ben nog niet eens naar de wc geweest. Ik wankel naar haar toe, en ze snauwt: „Jij wilt dat de kinderen brandwonden oplopen?"

Ik kijk naar de mok koffie in mijn hand. Ik snak naar die cafeïne, ik heb het nódig... Wanhopig loop ik terug naar de tafel, neem een laatste brandende slok en zet de mok neer.

18

Tegen het einde van mijn derde en laatste sessie ben ik half dood. Het lijkt wel alsof iemand met mijn hoofd heeft gevoetbald, en ik ben nog nooit zó afgepeigerd geweest, zó tot op het bot vermoeid. De tweede sessie ging aardig, met een paar bijdehante knutselaartjes en slechts één korte schermutseling met een joch dat een enorme berg rode bloedspetters zat te knippen voor een dinosaurus-slagveld. Toen had ik weer zo'n lachertje van een pauze. Amper tijd om naar het toilet te racen en de mok inmiddels afgekoelde koffie uit de vorige pauze naar binnen te klokken. Maar deze derde sessie is een regelrechte ramp. Een groep vol dombo's. Ik zoef rond de tafel, maak zo'n beetje elke collage zelf, terwijl de kinderen proberen te ontsnappen of balletjes stickerpapier in hun mond stoppen. Alsof dat nog niet erg genoeg is, loop ik aldoor aan Landon te denken, en zijn belofte naar Iggy te kijken en mij iets te laten weten. Ik wil graag weten of alles goed is met Iggy, natuurlijk, maar ik vind het nog veel belangrijker te weten of Landon genoeg om me geeft om hierheen te komen en me gerust te stellen. Ik kijk op mijn horloge. O nee. Zelfs wanneer deze sessie er straks op zit, ben ik nog maar halverwege de hele dienst…

Ik sta namen op de collages te schrijven wanneer Maria weer voorbij komt rollen. Ze stuurt de kinderen naar de andere kant van de zaal en zegt: „Nou, Rowan, je bent in het diepe gegooid, hè?" Ik giechel wat en ze zegt: „Die groene planten – slim idee. Misschien maak jij morgen iets met vissen en zeewier?

Onderwaterlandschap?"

Ik vertrek mijn gezicht in een poging te glimlachen. Op dit moment zou ik nog liever mijn handen afhakken dan nog één plaatje uitknippen.

„Goed. Werken met kinderen is niet altijd even leuk," zegt Maria ernstig. „Jij krijgt een lange pauze – tien minuten. Daarna ga jij verfspullen wassen, ja?"

Ik sleep me naar het kleedkamertje en plof neer op een stoel. Er zitten nog maar twee vruchtenrolletjes in de trommel. Ik neem er een. Het lijkt wel of er een steen in mijn maag zit, door Landon. Als het vier uur wordt en hij nog steeds niet is opgedoken... Na precies tien minuten kom ik het kamertje weer uit. Ik ben nog steeds op proef, en ik wil deze baan. Ook al ga ik hier misschien over een paar dagen weg met een gebroken hart en uiteengespatte dromen en nog een koffer vol clichés, nu wil ik het.

In de zaal houdt LaToya me aan. „Hoe gaat het?"

„Redelijk. Nou ja, ik ben gebroken, maar..."

„Je doet het prima. Ze mag je, dat merk ik."

„Gelukkig maar. Wat komt er nu?"

„Je moet die rommel in de gootsteen daar schoonspoelen, blínkend schoon of Maria ontploft, en alles uitspreiden om te drogen. Daarna krijgen we muzíék, voordat de ouders ze op komen halen. Kun je een beetje zingen?"

„Nee, zo vals als een kraai."

„Maakt niet uit. Zing hard en vrolijk, je weet wel, een en al enthousiasme, en je hebt de baan. Jemig, wie is dát?"

Met een ruk draai ik me om. Landon staat voor het raam te wachten tot ik hem zie. Hij ziet er oogverblindend uit. Ik zwaai, ik smelt als een chocolade-ijsje in de zon. Grijnzend steekt hij zijn duim op.

„Man-o-man," verzucht LaToya. „Die is niet voor de poes.

Ken je hem?" Ze kijkt me vragend aan.

„Ja," zwijmel ik, terwijl ik mijn duim naar hem opsteek. En dan begint hij te gebaren; hij wappert met een arm achter zijn rug, doet zijn mond wijd open en steekt zijn tong een paar keer snel naar buiten. Nog een keer zijn duim omhoog, nog een grijns. Mijn eigen glimlach dreigt mijn gezicht in tweeën te splijten. „Dank je!" zeg ik geluidloos.

Landon wijst naar zijn horloge, vormt met zijn lippen: „Tot straks" en is verdwenen.

Er valt een geschokte pauze. Dan vraagt LaToya scherp: „Wat moest dát nou voorstellen?"

„Hij deed mijn leguaan na. Hij zei dat alles goed was."

„Je leguaan? Hm, als jij het zegt. Maar volgens mij bedoelde hij iets héél anders."

„Niet waar! Hij deed zijn staart na, en zijn…"

„Tong. Ja hoor. Dus jullie horen bij elkaar?"

„We kennen elkaar pas sinds zaterdag. Ik ben spontaan met hem op de bus gesprongen."

„Dat geloof ik graag. Waar heb je hem ontmoet? Hé, pas op, daar heb je Maria."

Maria komt naar ons toe. „LaToya, jij hebt Rowan uitgelegd over de verfspulletjes?"

„Ja, mevrouw."

„Ik begin er meteen aan," zeg ik enthousiast. Op dit moment zou ik met liefde de toiletten gaan schrobben.

„Mooi. Die jongen bij het raam… een vriend van jou?"

„Eh… zoiets, ja."

„Jij kan beter uit zijn buurt blijven, is mijn raad. Goed, de verfpotten."

Het half uur daarop sta ik intens tevreden plastic bakjes en penselen door het sop te slaan. Ik spoel ze grondig af en leg ze te drogen. Mijn hoofd zit vol met Landon, hoe het wordt als ik hem straks weer zie. Ik weet niet of ik rechtstreeks terug moet naar de huisjes, of in een van de kleine winkeltjes langs zal gaan om wat voorraden in te slaan. Het liefst zou ik meteen naar het meer rennen, maar ik wil a) niet wanhopig overkomen, en zal b) uithongeren als Landon niet komt opdagen.

De sleutel van hut nummer 2 zit veilig in mijn broek aan mijn knaapje. Ik heb mijn eigen hut, mijn eigen veranda – en kan de hele nacht doorslapen zonder wakker te worden van gekrijs. Even doemt Flossy's gezicht voor me op, zoals ze keek wanneer ze een nachtmerrie had gehad, bleek en snikkend, en ik voel me even schuldig over de manier waarop ik haar in de steek heb gelaten. Ik roep een beeld op van Babcia die Flossy in haar armen houdt. Ik roep een beeld van Iggy op, stel me voor hoe de dodelijke naald door zijn schubben wordt gestoken en vervolgens hoe hij vredig langs het meer kuiert. Ik hou mezelf voor dat ik de juiste beslissing heb genomen. Ik kón niet anders. Dan droom ik weer verder over Landon.

Om tien over drie klapt Maria hard in haar handen en blaft: „Jongens, muzíék!"

Er wordt een grote blauwe kist naar voren gereden, tot de nok gevuld met tamboerijnen, trommeltjes en triangels. De kinderen worden naar het grote raam begeleid, waarop veertig minuten oorverdovend kabaal volgt. Ik ontdek dat ik het best kan: krankzinnig grijnzen en keihard zingen, ook al zou ik het liefst door de grond zakken. Maar goed ook, want Maria kijkt aldoor of ik wel meedoe.

Eindelijk, eindelijk zwaaien de grote deuren open. Er komt een gevarieerd gezelschap ouders naar binnen rennen, hun liefde voor hun kroost opgevijzeld door het schuldgevoel dat ze zo hebben genoten van de paar uur vrijheid.

„Probeer te onthouden welk kind bij wie hoort," sist LaToya me in het voorbijgaan toe. „Maak een praatje met de ouders.

135

Doe alsof dat kind je favoriet is, alsof je er geen genoeg van kunt krijgen."

„Juist," zeg ik gehoorzaam. „Waarom?"

„Fooi, sufferd! Fooi! Als ze denken dat je hun kind extra aandacht geeft, stoppen ze je aan het eind van de week wat toe."

Ik kijk toe hoe LaToya een nietsvermoedend joch optilt en hem liefdevol naar zijn vader en moeder draagt. Grijnzend probeer ik te midden van de chaos te bepalen wie bij wie hoort. Wanneer ik Chelsea naar een afgetrokken uitziende vrouw zie lopen, schuif ik naar ze toe en mompel: „Chelsea heeft zó goed geholpen met de collages! Ze is zó knap, zó zelfstandig!"

De vrouw werpt me een nijdige blik toe. „Eigenwijs en bazig, zul je bedoelen!" snauwt ze.

Ook goed, denk ik. Geen fooi dus.

Zodra de zaal is leeggelopen, barst ik van verlangen om naar buiten te gaan, naar het meer. Maar na een wenk van LaToya blijf ik nog om te helpen met opruimen, de stoeltjes op de tafel zetten, de muziekkist wegrijden.

„En," zegt Maria, „vind jij het hier leuk?"

„Nou en of," lieg ik vol vuur, „het is geweldig. En zulke leuke kinderen allemaal."

„Niet waar," verklaart Maria vlak. „Zij zijn verwend en ongemanierd. Maar werk is werk, ja?"

„Eh... ja. Ik hoop het."

„Ik denk dat jij het hier wel redt. Aan het eind van de week geef ik uitslag aan Derek. Goed. Diensten." Maria laat me het roosterbord zien. Het blijkt dat ik de ene dag een vieruursdienst moet draaien, de volgende dag twee vieruursdiensten, en per week twee hele dagen vrij heb. Op de dagen dat ik maar één dienst draai, moet ik vaak 's avonds een paar uur oppassen. Dat houdt in, legt Maria uit, dat je een heel paneel babyfoons bemant. Als een van de kinderen huilt, neem je contact op met de ouders aan de hand van de instructies die ze hebben achtergelaten. Ook kan ik worden ingedeeld bij uitjes, zoals zwemmen, sporten of wandelen. Wanneer ze klaar is, zegt Maria: „Jij kijkt verbaasd?"

„O ja? Ach, ik sta er gewoon van te kijken wat een... indústrie het is, de kinderopvang hier."

Maria glimlacht grimmig maar trots, als een generaal die weet dat hij en hij alleen het land tegen een vijandelijke invasie beschermt. „Dit hotel," zegt ze, „dríjft op mijn crèche. Wij zijn even belangrijk als de keuken. Onthoud dat goed."

„Zal ik doen," beloof ik plechtig.

„Goed. Vanavond doe jij oppasdienst, ja? Van acht tot twaalf, de kamer hiernaast. Ik laat het zo zien. Kom, aankleden."

Ik trek mijn uniform uit, hang het op mijn knaapje. Ik ben te onthutst om iets te zeggen wanneer Maria het hokje aanwijst waar ik met een andere medewerker vanavond vier uur zal worden opgesloten. Ik dacht dat ik nu vrij zou zijn... tot morgen althans. Plotseling lijkt het luxueuze appartement van de Bielicka's niet zo'n vervelende plek meer, en de uitdrukking 'van de regen in de drup' speelt door mijn hoofd. Ik kijk op mijn horloge. Het is al half vijf. Ik moet eten, even uitrusten, douchen, naar Iggy kijken, en Landon... hoe moet het met Landon?

In een van de winkeltjes graai ik wat appels, brood, bier, kaas en chocolade bij elkaar, allemaal tegen absurd hoge prijzen. Dan volg ik de bordjes richting sportzaal. Ik loop maar twee keer een verkeerde gang in voordat ik over het minigolfterrein stuif, op weg naar de bomen.

Aan de rand van het veld blijf ik staan. Het bos is dicht, ondoordringbaar. Ik zie geen pad, geen bordje. Mezelf vervloekend omdat ik niet beter heb opgelet toen Landon en ik eruit kwamen, loop ik op en neer. De paniek slaat toe.

Het is hopeloos. Er is geen ingang. Net als in een griezelig sprookje heeft het bos zich voor me afgesloten en laat me niet meer binnen.

Vijf over vijf, zie ik op mijn horloge. Als het zo doorgaat is het de moeite niet meer om naar de hutjes te gaan.

Alleen zal ik wel moeten. Voor Iggy. Iggy is afhankelijk van me.

Oké, Rowan, jij achterlijke domkop, denk ná! Waar stond je toen je het hotel voor het eerst zag? Ik draai me om, ren met mijn rug naar de bomen langs de rand van het veld, pijnig mijn hersenen om me te herinneren vanuit welke hoek ik het hotel vanochtend zag... ja, daar. Iets verderop, iets naar rechts... ja. Hier!

Ik draai me terug naar de bomen. Iets wat in de verte op een pad lijkt, kronkelt door een dichte groep jonge bomen. Ik baan me zigzaggend een weg, schop de klimop voor mijn voeten weg, stoot mijn teen ergens tegen. Ik kijk omlaag – een houten plankje, goeddeels vermolmd. Door de klimopbladeren heen zie ik nog net wat letters. Het is een bordje! Ik schrap de bladeren met mijn voet opzij en lees: *r het me*. Naar het meer! Ja!

Als een opgewonden inboorling die gids speelt, schiet ik triomfantelijk het bos in. Ik volg het pad. Een gebroken tak hier, plat gras daar... Ik herken helemaal niets. Zelfs die heel opvallende dode boom die eruitziet als een kwaadaardige dwerg, zegt me niets. Ik stort me naar voren, het bladerdak wordt dichter en het pad donkerder en somberder, en ik begin te denken dat ik al veel langer onderweg ben dan vanochtend. Veel langer. O help, had ik maar wat beter op de omgeving gelet in plaats van op Landon. Ik ben een slet. Een oversekste slet. Als ik dit bos ooit nog uit kom, zweer ik dat ik voorgoed mannen zal afzweren, ik ga het klooster in, ik laat me inmetselen in een celletje...

138

De bomen staan minder dicht bij elkaar. Het pad wordt breder. Ik storm het daglicht in.

En daar ligt het meer, daar staan de hutten!

Het enige wat ik nu nog hoef te doen is Iggy vinden. En zorgen dat Landon míj vindt.

19

„Iggy!"

Stilte. Alleen ritselende bladeren, sjirpende krekels in het lange gras. De rust, de stilte na de hectische middag die ik heb gehad, is heerlijk. De zon staat laag boven het glinsterende meer, de lucht is zwoel, maar ik kan er niet van genieten totdat ik weet dat Iggy veilig is. Ik laat mijn boodschappen vallen en ren naar de rand van het water, angstig speurend naar drijvende leguanenlijkjes. „O, Iggy, toe nou!" roep ik. „Waarom doe je zo chagrijnig?" Ik loop langs het water, tuur onder het kreupelhout. Niks. „Komt het door Landon?" vraag ik. „Ben je jaloers? Je hebt de kans gehad om in een prins te veranderen, hè? Ik kon niet eeuwig blijven wachten."

Doodse stilte. Ik begin zijn naam weer te roepen. Ik weet eigenlijk niet of leguanen wel kunnen horen – ze lijken in elk geval geen oren te hebben. Dan zie ik ineens iets felgroens op een half gezonken boomstronk zitten, kronkelend in de zon. Het is een hagedissenstaart. „Iggy, jij ellendeling!" scheld ik.

Hij draait zijn kopje naar me toe. Alles aan hem – zijn grijns, zijn lome lijf, de glans op zijn schubben – zegt dat hij de mooiste, meest vrije dag van zijn leven heeft gehad. Er steekt iets uit zijn bek; een insectenpoot zo te zien. „Op jacht geweest, knul?" vraag ik terwijl ik naast hem neerplof, mijn schoenen uittrek en mijn voeten in het water laat bungelen. Het enige wat er nu nog ontbreekt, denk ik, is Landon.

Nadat ik een poosje van de schoonheid heb zitten genieten,

begint mijn maag te knorren. Het late ontbijt met Landon lijkt lichtjaren geleden. Ik kijk op mijn horloge. Nog iets meer dan twee uur, dan zit ik weer vier uur opgesloten, via de intercom luisterend naar jankende baby's. „Oké, Iggy," zeg ik terwijl ik mezelf overeind hijs. „Je hebt de hele dag kunnen scharrelen, en het wordt donker. Vanavond hou ik je binnen." Ik steek mijn handen uit, til hem onder zijn buik van de stronk. Hij blijf volgzaam hangen, maar wanneer ik begin te lopen draait hij zich ineens naar me toe. Heel even ben ik bang dat hij me wil aanvallen. Zijn klauwen grijpen in mijn arm, hij klautert omhoog, en verandert van plaats totdat hij volmaakt in evenwicht over mijn schouder hangt.

Plotseling begrijp ik het. „Dit deed je bij je vorige baasje ook, hè?" breng ik ademloos uit. „O, Iggy. Hij droeg je altijd over zijn schouder, hè?" Behoedzaam loop ik verder. Iggy blijft hangen, rijdt mee als een sultan op een olifant. Ik vind het een beetje eng, zoals zijn klauwen door mijn T-shirt houvast zoeken, maar het is zo gaaf dat het me niet uitmaakt. In gedachten maak ik een grootse entree in de bar waar Landon werkt, Iggy als een stola om mijn nek.

Voor het eerst zie ik de buitenkant van de huisjes wat beter, en ik ben verrukt. Doordat ze niet meer door hotelgasten worden gebruikt, zijn ze een beetje vervallen. De verf bladdert af als boomschors in de hitte, klimplanten overwoekeren ongehinderd de trappen en veranda's.

Landons huisje en dat van mij staan naast elkaar. Pas wanneer ik opgewonden de sleutel in het slot steek, dringt tot me door dat al mijn spullen, mijn kleren, make-up, handdoek, álles, nog in Landons hut liggen.

„O nee, ik moet douchen, Iggy!" jammer ik. „En jouw lamp, je hebt je lamp nodig!"

Ik ben zo kwaad dat ik de sleutel meteen weer uit het slot

trek en naar Landons hut marcheer, Iggy nog steeds op mijn schouder. Misschien heeft hij vergeten de deur op slot te doen, denk ik, of misschien heeft hij de sleutel onder de steen gelegd... Ik kom bij de deur, duw ertegen – en hij zwaait open. Mooi zo. Als maar niemand mijn spullen heeft gejat terwijl we weg waren.

Stilletjes gaan we naar binnen.

20

Terwijl ik op mijn tenen naar de slaapkamer trippel, voel ik mijn nekharen overeind komen. Alsof iemand naar me kijkt, alsof ik niet alleen ben. „Volhouden, Iggy," fluister ik om mezelf moed in te spreken, „we pakken mijn tas en jouw lamp en dan zij we hier weg…" Ik duw de deur open. En daar ligt Landon, adembenemend op het bed uitgespreid, waarschijnlijk naakt onder het dekbed waar ik gisteravond onder heb gelegen. Het is zo'n opwindend idee dat ik steun moet zoeken bij de deurpost. Eén prachtige, gespierde bruine arm ligt achter zijn hoofd, zijn profiel steekt af tegen het witte kussen, zijn mond staat een beetje open, zijn ademhaling is diep en regelmatig…

Ik zou zo naast hem willen kruipen; Iggy en mijn kleren op de grond laten vallen en onder het dekbed schuiven… Iggy stoot zijn snuit afkeurend tegen mijn kin, alsof hij doorheeft wat ik denk. En in het bed beweegt Landon, hij verplaatst zijn arm…

„Hallo?" zeg ik bibberig. Als hij wakker wordt, mag hij niet denken dat ik hem heb staan begluren.

„Mmm," kreunt hij genoeglijk.

„Landon!" piep ik. „Ik kom alleen even mijn spullen halen…"

„Ha, schatje," zegt hij slaperig, en dan steekt hij loom zijn hand naar me uit, alsof hij me naar het bed wenkt. Mijn hart begeeft het haast. Hij bedoelt mij niet. Nee, hij kan mij niet bedoelen. Of wel? Ik blik naar de badkamerdeur, half verwachtend dat er een naakte meid te voorschijn zal komen.

„Wrrr…" kreunt Landon. Hij wrijft in zijn ogen, stelt zijn blik scherp. En schiet dan overeind. „Jezus! Waar kom jij ineens vandaan?" roept hij.

„Je… de deur zat niet op slot. Ik had mijn tas nodig, mijn kleren…"

„O, wauw, dat is gaaf! Die hagedis zo, wat ontzettend gaaf. Heb je hem dat geleerd?"

„Nee, niet ik. Zijn vorige eigenaar, denk ik. Hij… hij klom gewoon ineens op mijn schouder."

„En, Ro-anne? Alles goed? Hoe ging het in de crèche?"

Ik leun tegen de deurpost en vertel hem wat er allemaal is gebeurd. Hij kan echt goed luisteren. In elk geval denk ik dat hij luistert. Hij kijkt me aan, glimlacht, en dat is voldoende.

„Het wordt wel wat, hè?" zegt hij. „Ik heb mijn barrooster ook geregeld. Alleen…" hij kijkt op zijn horloge, „… moet ik binnen twee uur weer terug."

„Om acht uur? Ik ook. Ik heb een douche nodig en ik stérf van de honger. Ik…"

„Over het eten hoef je je geen zorgen te maken," onderbreekt hij me trots. Ik heb een hele berg uit de keuken meegekregen. Ga jij maar lekker douchen, schatje. Als je klaar bent staan de pannen op tafel."

Ik word straks vier uur lang in een donker hok opgesloten. Het is nergens voor nodig make-up op te doen. Het is nergens voor nodig mijn laag uitgesneden T-shirt te dragen. Of mijn push-upbeha. Toch doe ik dat allemaal wel. Bovendien doe ik mijn favoriete kettinkje om en spuit ik een halve liter parfum op.

Ik heb mezelf min of meer geïnstalleerd. Mijn tas heb ik boven mijn bed omgekiept, ik heb wat kleren opgehangen, mijn toiletspulletjes in de badkamer gezet. Maar het genoegen een eigen hut te hebben, waar ik normaal gesproken niet over uit zou kunnen, staat op een schrale tweede plaats met het vooruitzicht Landon zo meteen weer te zien.

„Hij kóókt voor me," zwijmel ik tegen mijn spiegelbeeld. „Alweer. Hij moet me leuk vinden, héél leuk. Hij noemde me schatje. Dus misschien wist hij wél dat ik het was toen hij lag te slapen, misschien was het zijn onderbewustzijn dat hij me riep…"

„Doe niet zo maf, Rowan," snauwt mijn verstandelijke kant. „Als iemand thuis je schatje had genoemd, was je a) over je nek gegaan, b) in lachen uitgebarsten, of had je hem c) een hengst verkocht."

„Weet ik wel, maar hier… als hij het zegt – het is geweldig. Het is absoluut geweldig."

Een half uur later, wanneer ik Iggy op de rugleuning van de bank heb gezet en zijn lamp boven hem heb geïnstalleerd, net als in Landons hut, paradeer ik Landons deur binnen.

„Hé, wat zie jij er goed uit!" roept hij uit.

„Dank je!"

„Hoe is het met Iggy?"

„Die ligt voor pampus. Hij heeft de dag van zijn leven gehad. Nog bedankt dat je bij hem bent gaan kijken vanmiddag. Ik was zo opgelucht dat alles in orde was."

„Geen dank. Je had je niet druk hoeven maken. Hij liep gewoon langs het water te kuieren, helemaal in zijn knollen-tuin…"

„Het moet geweldig voor hem zijn, al die vrijheid. Nadat hij jaren in een kooi heeft gezeten."

„Dat gevoel krijgt iedereen hier, schatje."

Drie keer! Drie keer!

„Maar hou hem 's avonds wel binnen, hè?"

„Ik heb hem al op de bank gezet."

„Mooi. 's Nachts sluipen hier allerlei wilde beesten rond."

Hij grijnst zijn wolfachtige tanden bloot. Het is zo sexy dat er een schril geluid aan mijn keel ontsnapt, dat ik probeer te maskeren door te vragen wat hij heeft klaargemaakt.

„Een roerbakschotel met kip en champignons."

„Tjonge, Landon, ik ben diep onder de indruk. Als een jongen bij ons zegt dat hij voor het eten zorgt, mag je in je handen knijpen als hij een pizza bestelt…"

„Heb je veel aanbidders achtergelaten?"

Hij klinkt bijna jaloers. Fantástisch. Ik haal mijn schouders op. „Ach, je weet wel, het waren gewoon vrienden, eigenlijk."

„Ja ja."

„Wanneer gaan we eten? Het ruikt zalig."

„Nu. Laten we op de veranda gaan zitten." Hij loopt het piepkleine keukentje in en komt met twee dampende borden weer te voorschijn.

„Het ziet er al net zo lekker uit als het ruikt," roep ik uit.

„Hé, Ro, vanwaar al die complimenten? Heb je iets van me nodig of zo?"

Om te voorkomen dat ik eruit flap wat ik precíes nodig heb, klem ik vlug mijn kaken op elkaar.

„Morgenavond misschien," zegt hij alsof hij mijn gedachten heeft gelezen. Ik ben overrompeld tot hij verder gaat. „Ik regel wat biefstukken en maak ze buiten klaar. Ik ben gek op een vuurtje 's avonds."

Mijn hart bonkt. Als hij het aan mij vertelt, moet ik ook uitgenodigd zijn, toch? En dan zal hij drie keer voor me gekookt hebben, wat betekent dat hij smoorverliefd op me moet zijn. „Maar trek je daar die wilde beesten dan niet mee aan?"

„Nee, die zijn als de dood dat ze zelf aan het spit worden geregen."

146

We gaan op de veranda in de laag staande zon zitten en beginnen te eten. Ik merk op dat de roerbakschotel absoluut beter smaakt dan de spaghetti met sardines van gisteravond. Hij grijnst en doet mijn „ab-so-luut" met een belabberd Brits accent na. Lachend sla ik hem op zijn arm. Hij grijpt mijn hand vast. Dan blijven we even zo zitten, niet-wetend wat we nu moeten doen, tot hij mijn hand weer loslaat en we zwijgend verder eten.

Dan stoot hij me ineens aan en wijst naar de overkant van het meer. Ik kijk op en zie een klein, rank hert vanuit de bomen schrikachtig naar het water trippelen.

„Oh!" breng ik ontroerd uit.

„Ssst! Gewoon kijken," fluistert hij.

Er verschijnt nog een jong hert, gevolgd door een derde. Ze lopen naar het eerste toe. Dan buigen ze alle drie hun lange nekken en drinken. Eén hert heft zijn hoofd op, spitst de oren; de andere twee doen hem na. En dan draaien ze zich als één om en stuiven weg tussen de bomen.

In de stilte voel ik me zo verbonden met Landon, zo dichtbij, omdat we de herten sámen hebben gezien. „Onvoorstelbaar," fluister ik.

„Als mijn broer erbij was geweest, had hij zijn geweer op ze leeggeschoten."

„O nee!"

„Ja hoor. Hertenbiefstuk… heerlijk."

„Nee, dat had hij niet over zijn hart verkregen. Ze zijn veel te mooi." Ik zucht gelukzalig, strek mijn benen uit en kijk om me heen. „Weet je, ik snap gewoon niet waarom de hotelgasten hier niet willen zitten. Dit is zo'n idyllische plek. En ze komen hier toch juist heen om van de natúúr te genieten?"

„Mwah, dat is maar schijn. Ze willen het idéé hebben dat ze in de natuur zijn. Ze maken zichzelf wijs dat ze heel stoer zijn,

allerlei avonturen beleven. Ze fietsen een rondje om het hotelterrein, zien een konijn en doen alsof ze op safári zijn geweest.
Dan peddelen ze vlug terug naar het hotel om te borrelen."

Ik lach om zijn beschrijving. Onwillekeurig leun ik wat naar
hem toe. En hij trekt zich niet terug. „Bedankt voor het eten,"
mompel ik. „Wanneer zal ik eens voor jou koken?"

„Morgen?" vraagt hij hees. „Of zullen we dan een vuurtje
stoken?" De lucht tussen ons – zeker een centimeter – zindert.
Dan trekt hij plotseling zijn arm omhoog, kijkt op zijn horloge
en roept: „Allemachtig, het is al kwart voor acht!"

Drie tellen later heeft hij zijn deur op slot gedaan en rennen
we naar het duistere sprookjesbos. „Het is niet éérlijk!" jammer
ik. „Waarom moeten we nou werken? Waarom zijn we niet vrij,
net als Iggy?"

„Zeg maar niks. Die hagedis heeft niet te klagen."

„Wij kunnen toch ook zo leven? Je hebt dat eten gratis gekregen."

„Ja, omdat ik hier werk, slimmerik."

„Hm."

We rennen verder. In het midden van het bos, waar de bomen
het dichtst opeen staan, is het laatste licht al verdwenen. En
ineens bedenk ik me iets. „Landon! Als ik om twaalf uur terug
moet is het hier stikdonker!"

Hij kijkt me van opzij aan en gniffelt. „Ben je soms bang in
het donker, Ro-anne?"

„In dit bos wel, ja. Doodsbang. Straks verdwaal ik, word ik
aangevallen door wolven of heksen…"

„Of door beren…"

„Wát?"

„Er zitten hier beren! Hé, geen paniek, ze vallen geen mensen
aan. Ze komen alleen in de afvalbakken snuffelen." Hij schudt
zijn hoofd. „Luister, kom na je dienst maar naar de bar toe,

tegen half een ben ik klaar. Het is vlak bij het restaurant waar we hebben ontbeten. Ik zorg er wel voor dat je veilig thuiskomt, oké?"

Ik bedank hem en zweef op wolken het bos uit, het minigolfterrein op. Dat is praktisch een afspraakje.

21

Het meisje met wie ik avonddienst heb, stelt zichzelf lusteloos voor als Sam. Ze heeft vaal, recht afgeknipt haar op kinlengte en haalt aldoor haar neus op. Ze legt me gewillig uit hoe alles werkt, al weidt ze overal vreselijk over uit, alsof ze de meest verantwoordelijke functie ter wereld heeft.

Alle hotelkamers worden weergegeven op een gigantisch schakelbord. Onder elk nummer zit een klein lampje; die van de gasten die voor vanavond oppas hebben aangevraagd branden. Sam en ik verdelen de kamers (allebei tweeëntwintig), zetten onze oortelefoontjes in en beginnen de kamers een voor een af te luisteren. Om de twintig minuten zou vaak genoeg moeten zijn om elk kind in de gaten te houden, waardoor we na een hele ronde een heel korte adempauze hebben voordat we weer opnieuw beginnen. Net lang genoeg om een kop thee te drinken.

Dus ik zit te luisteren naar de ene baby na de andere peuter na de volgende kleuter, hoor het geadem en gesnurk en gewoel en wacht tot er een gaat huilen. Mijn maag verkrampt net als toen ik wachtte tot Flossy uit een nachtmerrie wakker schrok. Arme Floss – ik moet haar eens schrijven. Morgen. En – o jee – ik moet mijn moeder bellen, haar laten weten dat alles in orde is. Ik heb het gewoon zó druk gehad. Oké, met zwijmelen vooral.

„Ik heb een krijser!" Sams triomfantelijke kreet doorbreekt mijn gedachten. „Kamer 524..." Ze kijkt op haar lijstje.

„Meneer en mevrouw Stanton – die zitten in de sauna."
Efficiënt maakt ze verbinding met de sauna, en vraagt de
receptie de Stantons te vertellen dat hun kind hen nodig heeft.
Dan gaat ze weer door met in- en uitpluggen.

Naarmate de avond vordert, krijg ik steeds meer het gevoel
dat ik in een parallel universum ben beland. Deels door het
vervreemdende effect dat het heeft om naar tweeëntwintig slapende kinderen te luisteren, deels doordat Sam het werk ken-
nelijk als een soort competitie ziet. Wanneer ik drie 'krijsers'
achter elkaar heb gehad, loert ze naar me alsof ik alle prijzen in
de wacht sleep.

„Verschrikkelijk, hè?" zeg ik tegen Sam. „Ik vind het zo erg
ze te horen huilen."

Geïrriteerd trekt Sam een schouder op. „Daar zitten we hier
voor," snauwt ze. Dan licht haar gezicht op. „Ja, ik heb weer
een krijser!"

Na elven beginnen de lampjes een voor een uit te gaan; de
ouders keren terug naar hun kamers. Om vijf voor twaalf branden er bij mij nog twee, bij Sam nog drie. „Wat gebeurt er als ze
niet op tijd terug zijn?" vraag ik nerveus. Het laatste wat ik wil
is Landon mislopen.

„We geven ze een kwartiertje respijt. Dan bellen we het nummer dat ze hebben achtergelaten. Ik wil het wel doen als je dat
liever hebt. Vorige keer was er een vrouw bij die zich zo schuldig voelde dat ik een enorme fooi kreeg."

Uiteindelijk hoeven we geen van tweeën te blijven. Om vijf
over twaalf gaat het laatste lampje uit.

„Ga je nog mee iets drinken?" vraagt Sam weinig enthousiast. „Dat hebben we wel verdiend. In het restaurant hiernaast
kun je lekkere warme chocolademelk krijgen. Sukkel je meteen
van in slaap."

„Klinkt goed," lieg ik, want slapen wil ik nog lang niet,

„maar… ik heb eigenlijk met iemand afgesproken."

„Oké." Ze haalt haar schouders op alsof ze eraan gewend is te worden afgewezen en sjokt weg.

Ik stuif de gang door op weg naar de bar, schiet onderweg een toilet in om te plassen en me op te tutten.

Ik voel me nogal geïntimideerd wanneer ik de bar in loop. Het verbaast me hoe schitterend en chic het is. Voor het oppas-hok was ik misschien te veel opgedirkt, maar hier zie ik er onmiskenbaar gewoontjes uit. Overal zie ik diep uitgesneden decolletés, hoge hakken, fonkelende sieraden… en daar achter de bar, nonchalant in zijn zwarte overhemd met vlinderstrikje, staat Landon. Aan de uiteinden van de bar zitten twee vrou-wen, allebei als gieren met hun blik op hem gefixeerd. Ze zien er een stuk ouder en rijker uit dan ik.

Ik raap al mijn moed bij elkaar en loop op hem af.

„Ro-anne!" roept hij enthousiast. „Je hebt me gevonden! Wat wil je drinken? Rondje van de zaak."

„O, dank je wel. Een koud biertje graag."

„Hé, schatje, je bent in Amerika. Lauw bier kun je hier niet eens krijgen." Grijnzend zet hij een flesje voor me neer, en een van de gieren wenkt hem met een flits van rode klauwen. Ik kijk toe terwijl hij haar helpt, charmant en flirterig. Haar wis-selgeld hoeft ze niet terug. Op de wandklok zie ik dat het tien voor half een is. Nog tien minuten geduld.

Landon zoeft langs me met een andere bestelling en wanneer hij terug is, plant hij nog een flesje bier voor mijn neus.

„Ik heb deze nog niet eens op!"

„Gewoon doordrinken. Je kunt het vast wel gebruiken na je oppasdienst."

„Zeg dat wel. Mijn oren tuiten nog van het gegil. Ik…"

Maar hij is alweer weg om iemand anders te helpen. Ik kan mijn ogen niet van hem afhouden. Ik kijk hoe zijn handen over de mahoniehouten bar bewegen, drink mijn eerste biertje leeg en begin aan het volgende. Ik zie hoe zijn armspieren bewegen. Ik blijf maar denken aan onze wandeling door het bos. Dat het zo donker zal zijn, dat ik een goed excuus heb om zijn arm vast te pakken, of zelfs zijn hand. Ik begin te gloeien.

Om klokslag half een draait Landon zich naar de potige zwarte barkeeper en zegt: „Oké, Jacko, ik smeer hem."

„Goed." Dan grijnst Jacko. „En? Teleurgesteld of opgelucht dat ze niet op is komen dagen?"

Ze. Ze. Wie is ze? Terwijl Landon grinnikt, loopt er een koude rilling over mijn rug. Hij is toch niet al bezét?

„Allebei een beetje," antwoordt hij en dan verdwijnt hij door een deur achter de bar.

Ik weet dat ik kalm en onbekommerd moet doen, maar het lukt niet. Wanneer Landon weer naast me staat in spijkerbroek en T-shirt en we op weg gaan naar de uitgang, vraag ik zo onverschillig mogelijk: „Over wie had je het net? Met Jacko?"

„Wat?"

„Degene die niet op is komen dagen?"

„O, dat. Iemand… een meisje dat ik dit jaar ook had verwacht. Iemand met wie ik vorige zomer was."

„Aha. Maar ze is er niet?"

Hij schudt zijn hoofd. Terwijl we de gang door lopen, zoek ik zijn profiel af, alsof daar de sleutel ligt naar het mysterie van het bestaan, maar ik word er niet wijzer van. In gedachten formuleer ik nog meer vragen, maar ik verwerp ze stuk voor stuk.

Dan zegt Landon ineens: „Ze heet Coco. Ze werkte ook in de bar, vorige zomer. We hadden een… je weet wel, een vakantie-affaire. Na afloop moesten we allebei terug naar school, en we wonen nogal ver van elkaar. Dus we hebben het uitgemaakt. We hebben af en toe contact gehad – ze zei dat ze ook weer zou komen dit jaar, maar niemand heeft nog iets van haar gehoord.

Dus ik denk dat ze toch niet komt."

De speurneus in me maakt overuren. Ik concludeer dat hij tijdens zijn eerste dienst moet hebben gemerkt dat Coco er niet was. Want daarvoor, toen hij me bij de crèche afzette, wilde hij zich niet vastleggen voor die avond. En ná die dienst was hij ineens veel enthousiaster, kookte hij voor me, zei dat hij me naar huis zou brengen…

Ik besluit het eens niet helemaal uit te gaan zitten pluizen. Goed, misschien ben ik tweede keus, wie weet, wat maakt het uit. Hij is zo onomstotelijk mijn éérste keus dat het er weinig toe doet.

En hij is nu vrij. Hij is beschikbaar.

Dan gebeurt er een wonder: hij pakt mijn hand vast. Hij begint naar de uitgang te rennen, de koele nachtlucht in, over het maanverlichte minigolfveld richting het bos.

Het is alsof we een geheime grot in lopen, zo donker is het tussen de bomen. Ineens zijn we ingesloten, alleen. Hij draait zich naar me toe, legt zijn handen op mijn armen en zegt: „Weet je, ik dacht dat ik teleurgesteld was. Over Coco. Maar ik begin te twijfelen."

„Hoezo?" vraag ik verstikt. Mijn slapen bonzen, en dat komt níét door het rennen.

Hij buigt zijn hoofd omlaag, ik hef mijn gezicht omhoog. En we zoenen. Het is zo'n zoen die al dagenlang heeft zitten broeien, een te gretige, onhandige zoen. Zelfs met mijn beperkte ervaring weet ik dat. Maar ik ben in extase, want híj zoent me.

22

Zwijgend lopen we verder. Ik ben bijna uitzinnig van opwinding. In mijn hoofd zoemt een triomfantelijk spreekkoor: Ik heb hem, ik heb hem! Ik wil weer blijven staan, weer in het donker zoenen, maar Landon lijkt zo snel mogelijk het bos uit te willen. Hij kent de route op zijn duimpje, en zijn hand voelt krachtig aan om de mijne heen.

Al snel zie ik het meer door de bomen heen glinsteren. Landon draait zich naar me toe. „En?" vraagt hij met een zwoele blik. „Naar wiens hutje gaan we?"

De gedachte dat hij wel erg hard van stapel loopt verdring ik. De gedachte dat hij aanneemt dat we meteen in bed duiken verdring ik. Ik kijk hem aan en zeg: „Het mijne natuurlijk. Ik moet toch kijken hoe het met Iggy gaat?"

„O ja, je hagedis! Kom op."

Eenmaal binnen, met alleen het licht van Iggy's warmtelamp, voel ik me ineens opgelaten. Iggy zit nog steeds doezelig te zonnen op de rugleuning van de bank; ik maak een domme opmerking dat hij zo te zien niet heeft bewogen sinds vanmiddag. Landon raakt zijn staart een paar keer aan, en ik piep: „Wil je een biertje? Ik heb vanmiddag boodschappen gedaan."

„Ja, maar je moet geen bier kopen, joh, dat kan ik gratis voor je meebrengen."

Ik schiet het piepkleine keukentje in, pak twee flesjes uit de koelkast en haal de dopjes eraf. Wanneer ik terugkom zit Landon onderuitgezakt op de bank, Iggy nog steeds achter hem. Ik geef hem een biertje, hij neemt een slok en kijkt me grijnzend aan. „Ik heb het nog nooit gedaan met een reptiel erbij," zegt hij. Dan zet hij zijn flesje neer en steekt zijn hand uit. „Kom hier, Ro."

Onzeker zak ik naast hem neer. Hij slaat zijn arm om me heen, pakt mijn flesje uit mijn hand en zet het op tafel. Dan begint hij me weer te zoenen.

Ik leg heel mijn wezen in die zoen. Ik probeer te reageren, probeer te laten merken hoe ik naar hem verlang, maar hij is zo ruw dat ik niet weet of hij het wel doorheeft. Zijn handen glijden van mijn rug naar mijn buik. Eentje duikt onder mijn T-shirt. En zoals hij me achteroverduwt, moet ik zo meteen óf gaan liggen óf hem terugduwen, als in een worstelpartij... „Hé, rustig aan!" roep ik voordat ik mezelf kan tegenhouden.

Meteen heb ik er spijt van. Het klinkt als kritiek, als een klacht. Maar hij gaat gewoon rechtop zitten, haalt zijn schouders op en zegt: „Sorry." Dan pakt hij zijn biertje weer.

Er valt een stilte. Help. Heb ik het nu vergald? Van opzij neem ik hem op. Waarom heb ik hem tegengehouden? Wat is er zo erg aan te worden... overrompeld? Ik dwing mezelf heel beheerst en ervaren te doen en leg mijn hand in zijn nek. „Sorry," fluister ik terwijl ik door zijn nekhaar woel. „Sorry. Geef me nog een zoen."

Deze keer laat hij mij leiden. Zo'n drie tellen. Dan begint hij me weer te vermorzelen. Ik besluit dat het me niet uitmaakt. Ik besluit dat hij zo geweldig is dat ik zijn spelregels zal volgen. Hij beweegt van mijn mond naar mijn hals. Dan trekt hij mijn T-shirt omhoog. Zijn andere beweegt naar mijn gulp. De herinnering aan Saaie Billy – met wie ik Het zo'n zeven keer heb gedaan – dringt zich op, en ik denk: waarom niet? Ik verlang naar hem, hij is zó opwindend...

Alleen is dat nou juist het probleem. Ik ben nog niet echt

opgewonden. Hij gaat veel te snel voor me.

„Zullen we naar de slaapkamer gaan?" mompelt hij. „Het is nogal remmend, met die hagedis die ons aangaapt."

„Landon!" flap ik eruit. „We hebben elkaar tien minuten geleden voor het eerst gezoend!"

Hij trekt zich terug, gaat rechtop zitten. „O. Sorry. Ik dacht dat…"

„Wat?"

„Ik dacht dat jij het ook wilde."

„Ik wil ook wel," pruttel ik. „Alleen…"

„Ga ik te vlug?"

„Ja, nogal. Ik bedoel…" Ik val stil, voel me vreselijk ongemakkelijk, ook om wat hij zegt. De praktische toon, alsof ik een auto ben die nog warm moet draaien. Maar dan kijk ik weer naar zijn gezicht en weet dat ik hem zo'n beetje alles zou vergeven. Per slot van rekening is hij met zijn uiterlijk vast gewend dat vrouwen spontaan gaan liggen zodra ze hem zien.

„Oké," zegt hij. „Geen punt." En hij neemt nog een slok bier.

Hij is niet opdringerig, hou ik mezelf voor. Hij is niet zo'n hork die je probeert te manipuleren en te intimideren. Hij vat de signalen gewoon verkeerd op.

„Wat heb je morgen voor dienst, Ro?" vraagt hij en hij slaat zijn arm weer om mijn schouders, heel ontspannen.

Ik denk na. „O… de vroege, van acht tot twaalf. En 's avonds weer oppasdienst."

„Dus je hebt morgenmiddag vrij? Hé, ik ook! Zullen we gaan zwemmen in het meer?"

„Dat lijkt me heerlijk!"

„Het wordt warm morgen. Warmer nog dan vandaag. Zullen we eerst samen gaan lunchen? Een hapje eten, en dan hiernaartoe…"

Kijk, dit is véél beter. Ik kruip lekker onder zijn arm, en dan draai ik mijn gezicht naar hem toe en leg mijn arm om zijn nek. Mijn knokkels strijken per ongeluk langs Iggy's schubbige huid, en ik slaak een kreetje en schiet in de lach, en voor ik mijn mond weer dicht kan doen, drukt Landon zijn lippen op de mijne. Hm, dat is pas spannend. En het zoenen gaat ook beter. Alsof we elkaar leren kennen. Maar wanneer hij weer aan mijn kleren begint te plukken onderbreek ik hem. „Is het wel veilig? Zwemmen in het meer, bedoel ik?"

„Heb je het over slangen en zo? Ik heb nooit problemen gehad. Hé, krijg ik nog een biertje van je?"

Normaal gesproken had ik iets gezegd als: „Pak het lekker zelf, stommeling!" maar nu veer ik meteen overeind en trippel braaf naar de keuken. Onverschillig als wat roep ik over mijn schouder: „Hé, als je nog contact hebt gehad met Coco, je weet wel, na afgelopen zomer, waarom wist je dan niet of ze wel of niet zou komen?"

Er valt een stilte, alsof hij erover na moet denken. Het zou me niet verbazen als hij zo zei dat ik me er niet mee moest bemoeien, dat het te pijnlijk was om over te praten. Maar in plaats daarvan antwoordt hij: „Ik denk dat ik haar te weinig heb geschreven. Ze wilde maar dat ik me vástlegde, weekeinden langskwam, wilde zeker weten of ik wel of niet hierheen terugging. Op het laatst kreeg ik een brief dat ze het zat was, dat er met mij geen afspraken vielen te maken. Dus of we elkaar hier weer zouden zien lag nog min of meer open."

Min of meer open, denk ik glunderend. Hoor je die klap, Coco? Dat is de deur die voor je neus dichtslaat!

23

Omdat ik morgen vroeg op moet, is het redelijk makkelijk Landon, na nog een biertje en wat knuffelen, mijn huisje uit te zetten. We spreken af dat hij me morgen om tien over twaalf bij de crèche ophaalt, zodat we samen kunnen gaan lunchen. In een staat van vergevorderde gelukzaligheid kruip ik mijn bed in. Ik mijmer over wat er vanavond is gebeurd, denk aan hoe het morgen zal gaan en analyseer mezelf helemaal suf. Nadat ik een poosje wellustig over zijn gezicht en lichaam heb gezwijmeld, moet ik twee dingen erkennen:

1. Dit kost me moeite, maar... hij zoent niet zo lekker als Saaie Billy. Saaie Billy was al met al niet zo slecht. Wat ook de reden is dat ik Het met hem heb gedaan, ook al vond ik hem niet zo spannend als Landon. Ik heb iets met zoenen. Wat mij betreft moet een zoen als een gesprek zijn – reactief, interactief. Geen krachtmeting tussen tongen en monden en tanden.

    2. Hij lijkt – geef het nou maar toe, Rowan – niet half zo opgewonden als ik bij het vooruitzicht samen in bed te duiken. Hij lijkt – geef het toe! – eerder doelgericht. Alsof hij wil weten hoe snel hij hoe ver kan gaan.

Ik laat de twee deprimerende punten bezinken. Dan probeer ik me te ontspannen en schakel ik over in mijn Positief Denkenstand.

    Waarna ik tot de volgende conclusies kom:

1. Geef het tijd. Hij moet erachter komen hoe geweldig en interessant ik ben. En zoenen kun je leren.

2. Ik heb iemand versierd die eruitziet als een engel. Waar de seks vanaf spat. Wat zeur ik nou?

De volgende dag ben ik vroeg uit de veren. Iggy klautert van de rugleuning van de bank en hobbelt naar de bundel zonlicht bij het raam; dan waggelt hij naar de deur en gaat als een hondje zitten wachten.

„Wel in de buurt blijven, hè, Iggy?" waarschuw ik terwijl ik de deur voor hem opendoe. „Niet verdwalen. Of verdrinken. Of je laten opeten. Oké?"

Mijn huid tintelt wanneer ik langs Landons huisje loop. Daarbinnen ligt hij, mijmer ik. Binnenkort zal ik hem ontbijt op bed brengen, hem wakker maken.

In een roes loop ik naar de crèche. Maria herinnert me schel aan mijn belofte (welke belofte?) onderwater-collages te maken en ik ga gedwee aan de slag met mijn eerste groep.

Door het raam zie ik hoe zonnig het is buiten. Ik smacht ernaar de warmte op mijn huid te voelen, met Landon in het meer te zwemmen...

„Pssst!" LaToya verstoort een heel geslaagde onderwaterfantasie.

„Hoi. Alles goed?"

„Prima. En met jou zo te zien ook, hè?" zegt ze giechelend. „De leguanenman? Dat stuk met die tong?"

„Ja. Alhoewel dat met die tong een beetje tegenvalt..."

„Wát? Dat weet je nú al?"

„Zoenen! Jemig, LaToya, zoenen!"

We proesten het uit. Maria staat aan de andere kant van de zaal; LaToya buigt voorover en doet alsof ze me met de kinderen helpt. „Nou, ik heb ook beet!"

„Echt? Wie?"

„Nieuwe ober. Om óp te vreten. En als ik zeg beet, bedoel ik bijna beet. Sophie – dat kreng van de kapper? – heeft haar zinnen op hem gezet, maar ik zorg dat ik haar voor ben. Ik heb gezegd dat ik hem vanavond wel zie in de disco, na de oppasdienst…"

„Hé, ik heb vanavond ook dienst!"

LaToya grijnst. „O, geweldig! Ik smokkel een fles drank mee, dat wordt lachen. Maar vertel eens wat meer over de leguanenman?"

Terwijl we net doen alsof we met de kinderen bezig zijn, roddelen we over de jongens die we hebben versierd. LaToya is zo openhartig, dat ik vanzelf ook van alles prijsgeef. Ik realiseer me hoe ik dit gemist heb, kletsen met een vriendin, sappige details uitwisselen…

Ons gegiechel wordt onderbroken door een paar strenge stappers dat in zicht komt. „Sinds wanneer moeten jullie sámen bij een groep staan?" blaft Maria. „LaToya, ga bij het vingerverven kijken."

LaToya trekt een gezicht naar me en schiet naar de andere kant van de zaal.

Pas een half uur voordat Landon er zou moeten zijn, krijg ik het benauwd dat hij me een blauwtje laat lopen. En aangezien hij maar tien minuten te laat komt, heb ik slechts veertig minuten stress…

Maar het is het dubbel en dwars waard. Veertig úúr stress zou het nog waard zijn – veertig jáár. Ik gaap hem aan terwijl hij met grote passen de helling van de crèche op komt lopen. Elke keer als ik hem zie, sta ik er weer van versteld hoe knap hij is.

„Sorry, schatje!" zegt hij luchtig. „Ik ben naar de sportzaal geweest, raakte met Clint aan de praat..."

„Geeft niet. Ik heb honger, jij ook?"

„Ja, kom op."

Hij pakt mijn hand vast en we zweven de gang in. Het is fantastisch.

Het is alsof ik zijn vriendín ben.

Het lukt ons ternauwernood de pizzeria in te komen, want die zit bomvol. Maar Landon opent een charme-offensief op de serveerster (nadat hij eerst diplomatiek mijn hand heeft losgelaten) en ze brengt ons naar een half ingebouwd tafeltje bij de kassa.

Tijdens het eten probeer ik Landon over zichzelf te laten vertellen, maar het gesprek wil niet op gang komen. Op elke vraag over zijn dag, zijn leven, over hemzelf, krijg ik een vaag, afwerend antwoord. Het komt bij me op dat hij wel eens zo'n goede luisteraar kan zijn omdat hij zelf weinig te melden heeft. Ach, ergens is het logisch dat hij niet wil praten; de lichamelijke spanning tussen ons wordt steeds heviger. Op dit moment wrijft hij zijn knie tegen de mijne en strijkt hij met zijn vingers over mijn blote arm...

„Ben je klaar?" vraagt hij ongeduldig. „Kom op, dan gaan we zwemmen."

24

Op weg naar mijn huisje besluit ik mijn afkledende zwarte bikini aan te doen, niet de rode met het sexy topje. Deels omdat ik me er beter op mijn gemak in voel, deels omdat ik nog zo bleek ben en zwart dan meer flatteert. Ik wikkel onzeker een handdoek om me heen voor ik naar buiten loop, maar ik had geen moeite hoeven doen. Ik zie dat Landon al helemaal aan de andere kant van het meer is, borstcrawlend als een waanzinnige. Hij ziet me niet eens.

Ik beschouw mezelf niet als een waterrat. Ik vind het best eng, zo'n grote oppervlakte natuurlijk water. Natuurlijk in de zin van vol roofvissen, en wormen die zich door je huid boren, en wier dat je bij de enkels grijpt en je naar de bodem trekt... Maar zodra Landon mijn richting op kijkt, laat ik mezelf gegeneerd onder zakken.

Het is diep. En íjskoud. Ik zet me af en begin te zwemmen.

Halverwege het meer ben ik door en vind ik het heerlijk. Een enorme opkikker is het. In schoolslag zwem ik op hem af, op mijn dooie akkertje. Ik wil niet te gretig overkomen. Ik kijk rond naar de zon op de bomen en planten, de schaduwen van de takken en bladeren.

„Hé, Ro-anne!" Landon zwaait naar me, duikt dan vooruit en begint op me af te malen. Ietwat nerveus blijf ik watertrappelen. En ineens springt hij als een zeehond voor me omhoog. Hij is schitterend. Zelfs zijn aan zijn hoofd geplakte haar maakt hem niet minder mooi. Hij pakt mijn armen vast en geeft me een koel, nat zoentje. „Kom op," zegt hij en hij zwemt weer weg.

Ik volg hem naar de verste uithoek van het meer, het deel vlak bij het bos. Prehistorisch uitziende bomen laten hun takken in het water bungelen, wroeten hun wortels het water in, vormen kleine holletjes en zitjes... Er steekt een gigantische, platte zwerfkei als een eiland boven het wateroppervlak uit, glimmend in de zon. Landon grijpt zich vast aan een overhangende boomwortel en hijst zichzelf erbovenop. Ik tuur naar zijn rug en denk: o nee o nee o nee. Nu moet ik te voorschijn komen. Er valt niet aan te ontkomen. Misschien doet hij het er wel om. Hij wil weten hoe ik eruitzie zonder kleren.

„Kom op, Ro." Hij steekt zijn hand uit om me omhoog te helpen. „Dit is het beste plekje om te zonnen. Het steen wordt gloeiend heet. Je bent in drie tellen droog."

Ik adem diep in, pak zijn hand en krabbel zo sierlijk mogelijk op het rotsblok.

„Hé," zegt hij grijnzend. „Hállo."

Hij vindt me mooi. Mijn figuur valt in de smaak. Met een hoop misbaar strijk ik mijn natte haar uit mijn gezicht, zodat mijn buikspieren zich spannen.

„Dit is mijn privé-rots," zegt hij. „Kom, we gaan liggen, een beetje bruin worden."

Voorzichtig draai ik me op mijn rug. De rots is hard maar warm, en glad gesleten door het water dat eroverheen kabbelt. Ik sluit mijn ogen tegen de felle zon; het water op mijn huid droogt met honderden kleine prikjes, een heerlijk gevoel dat zich mengt met het gevoel vlak naast Landon te liggen. Alleen onze armen raken elkaar. Zijn huid is warmer dan het steen, en gladder. Ik voel hem ademen.

Dan voel ik ineens koude waterdruppels. Ik doe mijn ogen open; hij hangt vlak boven me. „Hoi," zegt hij weer, en dan beweegt hij naar voren en zoent me.

Onze praktisch naakte lijven raken elkaar. Mijn schouderblad schuurt tegen de rots terwijl hij over me heen komt liggen, zijn mond hard op de mijne. Het warme gevoel verdwijnt. Ik voel me onrustig, bedreigd. Hij houdt mijn hoofd in een klemmende greep, wurmt een been tussen mijn benen… Ik trek mijn hoofd terug, duw hem van me af, kronkel onder hem vandaan.

„Wat ís er nou?" vraagt hij.

Ik draai me op mijn zij, kijk hem aan. Ik weet niet wat ik moet zeggen. Hij ziet er zo mooi uit. Ik wíl het wel, heus, alleen niet zo snel, en niet hier op deze róts. Ik druk een kusje op zijn mond.

„Ik snap jou niet," zegt hij, maar hij glimlacht erbij.

„Hoezo?"

„Waarom laat je het niet gewoon gebeuren?"

Ik adem diep in. „Ik laat het ook wel gebeuren… maar pas wanneer ik het zelf wil."

„Oké." Hij haalt zijn schouders op, staat op en duikt het water in.

Ik kijk naar de fontein die opspat en voel me gekwetst, kwaad, beledigd, verward, noem maar op. „Krijg de pest," mompel ik en ik glijd van de rots af. Ik ben halverwege het meer wanneer hij me inhaalt.

„Hé," zegt hij.

„O, nu praat je weer tegen me?"

„Hè?"

„Waarom liet je me net zomaar zitten?"

„Je zei zelf min of meer dat ik op moest donderen."

„Niet waar!"

„Nou, zo kwam het anders wel over," zegt hij en hij snelt weer weg. Terwijl ik het water uit waad, zit hij me in het ondiepe stuk op te wachten. Met een zelfverzekerd gebaar slaat hij zijn arm om mijn schouders. „Je bent zo typisch Engels."

„O ja? Omdat ik gesprekken graag afmaak?"

„Hoe bedoel je?"

„Je gaat er steeds halverwege vandoor!"

„Niet waar!"

„Wel waar." Mijn woede zakt weg, ik kan het niet helpen. Het is zo heerlijk door hem vastgehouden te worden. „Hoezo ben ik typisch Engels?"

„Omdat je preuts bent."

„O, sodemieter op, dat is niet waar."

„Bewijs het dan eens. Ga mee naar mijn hut."

Er valt een stilte. Aan de ene kant kan ik hem wel een trap voor zijn ballen geven, aan de andere kant denk ik: waarom niet? Waar ben je nou eigenlijk mee bezig, Rowan? Wil je eerst wat vakjes aanvinken, zodat je jezelf later wijs kunt maken dat je al een soort relatie met hem had voordat je met hem naar bed ging? Als we het nú doen, breekt dat de spanning misschien, kunnen we meer ontspannen met elkaar omgaan…

Een plotse kreet onderbreekt mijn koortsachtige gedachten. Een jongen, lang, met bruin haar en in zwembroek komt de veranda van het andere huisje naast dat van Landon af lopen, enthousiast zwaaiend. Zodra Landon hem zie, haalt hij zijn arm van mijn schouders en spurt op hem af. „Ben! Ouwe rúkker!" Dan komt er nog iemand de hut uit stappen, en Landon krijst: „Rick!" Ze botsen alle drie tegen elkaar op in een soort stoere omhelzing, en praten druk door elkaar over wanneer ze zijn aangekomen en waar ze werken en hoe het deze zomer weer net zo geweldig wordt als vorig jaar.

Aarzelend loop ik hun kant op. Ik voel me vreselijk buitengesloten. Ik probeer het feit te negeren dat Landon nu veel meer enthousiasme toont dan tijdens de lunch met mij, het zwemmen of zelfs tijdens het zóénen. Ik probeer de gedachte te verdringen dat ik op het punt stond met hem naar bed te gaan, dat hij dat móét hebben gemerkt en toch niet de minste irritatie vertoont dat we zijn gestoord...

Erger nog; hij lijkt te zijn vergeten dat ik besta.

25

Het is Ben die me als eerste op ze af ziet komen schuifelen. „Landon, jij gladjakker," zegt hij grijnzend. „Ik had kunnen wéten dat je nu al een stoot aan de haak hebt geslagen!"

Op slag vind ik Ben aardig. Hij kan niet tippen aan Landon, maar zijn gezicht met stoppelbaardje is vriendelijk en aangenaam. Eindelijk draait Landon zich naar me toe. „Hé, Ro, kom even hallo zeggen!"

Prima, denk ik wrang. Ik loop langzaam naar ze toe, vreselijk onbehaaglijk in mijn bikini.

Mijn aanwezigheid is een excuus voor ze om over hun stoere-gasten-onder-mekaar-verleden te beginnen. Ze vertellen me dat ze elkaar vorig jaar hebben leren kennen en zo'n fantastische en onvergetelijke tijd hebben gehad dat ze elkaar hebben beloofd dit jaar weer te komen. Ben en Rick (kleiner, met wit-blond haar) hebben contact gehouden en zijn hier samen naartoe gekomen, maar Landon belde nooit terug, dus ze wisten niet of hij er wel zou zijn. Ben werkt in een van de bars; Rick net als vorige zomer in een van de restaurants. Ze vinden het allebei érg grappig dat ik in de crèche werk. Dan vraagt Rick Landon met een geniepige blik op mij: „En onze nummer vier?"

„Coco?" zegt Landon heel nonchalant. „Geen idee. Is er niet."

Tijdens de stilte die valt sta ik te kóken. Dus ze vormden een clubje, hè? Gezéllig. En ik ben ongetwijfeld een mager surrogaat.

Ben haalt een zakje uit zijn achterzak, waarop Landon en Rick enthousiast beginnen te brullen.

„Ja, kom op!"

Drugs. Natuurlijk. Met zijn drieën lopen ze naar de veranda van Ben en Ricks huisje en zakken neer. Halfslachtig loop ik achter ze aan, blijf hangen op de trap. Ik begin me vreselijk opvallend te voelen omdat ik praktisch naakt ben. Zeker doordat Rick maar naar me blijft gluren.

Ben begint een joint te draaien; Landons ogen vallen nu al haast dicht van verwachting.

„Hé, Ro," zegt hij. „Kom erbij, kom op, ga zitten."

Ergens wil ik het wel. Bij hem kruipen, gewoon bíj hem zijn, bij hem in de buurt. Om te zien of hij me ook als zijn vriendin behandelt wanneer zijn vrienden erbij zijn, bijvoorbeeld.

Maar mijn trots staat me in de weg. „Ik moet straks nog werken," zeg ik. „Ik kan niet stoned worden."

„We moeten allemáál werken," hoont Rick, en op dat moment weet ik zeker dat ik hem haat.

„Trouwens, het is makkelijker als je stoned bent," zegt Ben opgewekt. „Kun je beter tegen het gezeik." Hij neemt de joint tussen zijn lippen en steekt hem aan.

„Ik heb nog van alles te doen," zeg ik. „Mensen bellen, brieven schrijven…"

„Klinkt spannend," spot Rick. Man, wat een galbak.

Ik blijf nog even hangen, hopend dat Landon zich herinnert dat we later een vuur zouden maken en barbecuen, maar het enige wat hij zegt is: „Oké, schatje, ik zie je wel." Hij kijkt me er niet eens bij aan, zo gefixeerd is hij op de joint die Ben zit te rollen.

Ik draai me om en loop weg.

Ik voel me volkomen in de steek gelaten. Uitgestoten.

Terwijl ik mijn huisje in loop, herinner ik me met een steek van paniek en schuld dat ik Iggy al de hele middag niet meer heb gezien. Ik schiet in een lang katoenen overhemd en loop naar het water, zoek op de plek waar ik hem eerder heb gevonden.

Landon ziet me, wat heel wat is, en roept: „Ro, wat is er?"

„Ik zoek Iggy!"

„Hé, maak je niet druk! Die is in orde!"

En daarmee richt hij zich weer op zijn joint. Ik loop het meer rond. Waarom komt hij niet van zijn wezenloze reet om me te helpen zoeken? In plaats daarvan hoor ik flarden van hoe hij uitlegt wie Iggy is, en hun reacties: „Echt waar? Een grote groene? Te gek!"

Wanneer ik aan de overkant van het meer ben, beginnen Landon en Ben te zwaaien, alsof ze willen dat ik terugkom. „Donder op," mompel ik. Ik begin me steeds ellendiger te voelen. Iggy is nergens te bekennen. Ik loop verder, tuur tussen de struiken, speur het wateroppervlak af, bid en hoop… Niks.

Ik kom weer bij de huisjes. Landon roept: „Hé, Ro, waar bleef je nou? Hij zit hier!"

Ik kijk naar de veranda. Naast Bens been is een stompe groene snuit zichtbaar. Mijn opluchting wordt verpest door een gevoel van verraad. Iggy, wat doe je daar? Bij dat stelletje hufters?

„Hij zal wel op onze stemmen af zijn gekomen," zegt Landon zelfvoldaan.

„En de geur," lalt Ben. „Hij is een echte liefhebber, kijk." Ben blaast een grote rookwolk rond Iggy's zacht bungelende kopje.

„Laat dat!" snauw ik.

„Hé, het geeft niet," zegt Landon. „Iggy is oké. Hij is relaxed."

„Ja hoor. Ik wil niet dat hij als een makreel wordt geróókt."

Ben grinnikt. „Geróókt!" doet hij me na. Dan beginnen de

andere twee wezenloos mee te gieren.

„Kom, Iggy," zeg ik. „We gaan naar huis."

„Ah, laat hem lekker zitten," zegt Landon. „Het is nog warm. En het is zíjn keuze."

Ik moet me beheersen om Landon geen stomp op zijn neus te verkopen. Ik stamp weg. Als Iggy ook maar een greintje trouw had, zou hij achter me aan komen, maar hij blijft op de veranda zitten, stoere-gasten-onder-mekaar.

Net voordat ik bij mijn huisje ben, roept Landon: „Hé, Ro. Heb je vanavond oppasdienst? Ik kom je wel ophalen, hè? Dan hoef je niet alleen door het bos."

„Ja," roep ik terug. „Fijn."

Goed, ik ben een slappeling. Ik had verwaand moeten zeggen dat ik het zelf wel kon vinden, in plaats van dankbaar zijn half-bakken aanbod aan te grijpen als een buitenkansje. Het probleem is dat elk aanbod van Landon ook een buitenkansje lijkt.

Nadat ik een douche heb genomen, loop ik door het bos naar het hotel om mijn moeder te bellen.

Onderweg loop ik te tobben en te piekeren. Uiteindelijk kom ik tot het inzicht dat Landon gewoon een enorme hedonist is. Ik bedoel – jemig – hij vindt het zelfs leuk om te koken! Ik heb niets tegen plezier en genot, maar niet wanneer je hele leven daarom draait. En niet wanneer ik zélf word behandeld als een speeltje.

Een tijdelijk speeltje ook nog.

Het telefoontje met mijn moeder verloopt redelijk goed. Ik begin bij het einde; vertel dat ik nu in Truckee ben, dat het hier geweldig is en ja ja, alles gaat goed, ik heb een huisje, een baan. Dan vertel ik haar waarom en hoe ik uit Seattle ben vertrokken, waarbij ik veel nadruk leg op mijn besluitvaardigheid, moed en gezonde verstand. Ze is overweldigd. Ze blijft maar roepen:

„O, lieverd, wat goed van je!"

Ik geef haar het telefoonnummer en adres van het hotel door; ze belooft geld naar mijn rekening over te maken. Echt nodig heb ik het niet, maar het geeft haar een goed gevoel, dus ik sputter niet tegen. Ze vraagt of ik zenuwachtig ben over de examenuitslag, die binnen een paar weken bekend wordt gemaakt. Het lukt me net op tijd in te slikken dat ik dat helemaal vergeten was.

We eindigen het gesprek in goede verstandhouding en zeggen allebei: „Ik hou van je."

Terwijl ik ophang dringt het tot me door dat ik er eindelijk in geslaagd ben indruk op haar te maken.

Glunderend van trots wandel ik een poosje door het gigantische hotelcomplex, waar ik inmiddels de weg begin te kennen. Ik loop Clint tegen het lijf, de flitsende zwarte sportinstructeur, en blijf vijf minuten met hem staan flirten. Als ik gratis wil trainen – „of de sauna in, het zwembad, je zegt het maar, mop!" hoef ik maar een gil te geven.

In mijn nopjes en opgemonterd loop ik terug. Ik heb nog een paar uur voor mijn avonddienst begint en ik moet nog eten, Babcia en Flossy schrijven.

Tenzij Landon toch nog klaarzit met de barbecue, uiteraard.

26

Lieve Flossy,

Hoe gaat het met je, lieverd? Ik hoop dat alles goed is en je gelukkig bent. Je zou het hier fijn vinden. Het is warm en zonnig, en Iggy vindt het heerlijk om vrij rond te scharrelen. Er is een groot meer waar hij in zwemt! Ik heb een baan in een crèche met heel veel kinderen van jouw leeftijd, maar er is er geen een bij die zo goed kan tekenen of dansen als jij.

Veel liefs en kusjes,

Rowan xxxxx

Aan Babcia schrijf ik een veel langere brief. Ik bedank haar nogmaals voor haar hulp, voor het geld en de draagmand. Ik vertel haar over de 'leuke, behulpzame jongen' (ha!) die ik heb ontmoet, over mijn werk, de mooie omgeving en mijn huisje. Aan het eind smeek ik haar me te laten weten hoe het met Flossy gaat.

Terwijl ik de brieven in een envelop stop met Babcia's naam erop, spreek ik er vlug een bezwering over uit. Vervloekt zij Sha als ze hem opent. Vervloekt zij Sha als ze hem leest... Ik moet maar hopen dat Babcia er nog is en 's ochtends als eerste de post haalt.

Ik loop naar buiten om Iggy op te halen. De drie blowende

musketiers zijn verdwenen, maar Iggy zit nog steeds trouweloos te soezen op Landons veranda. „Verkéérde adres, knul!" zeg ik bestraffend terwijl ik hem optil. Hij is te slaperig – of te stoned – om zich te verzetten.

Nadat ik hem in het huisje heb opgesloten, zet ik in de schemering koers naar de oppaskamer. En langzaam dringt er iets tot me door: ik heb het aangedurfd – het is me gelukt! Ik ben in mijn eentje naar Amerika vertrokken en heb het overleefd! Landon kan de pest krijgen. Ik red me wel. Ik heb een dak boven mijn hoofd, ik heb werk, ik leer mensen kennen. Het gaat prima zo. Ik heb hem niet nodig.

Oké, als hij me vanavond laat zitten stort mijn wereld natuurlijk weer in, maar voorlopig gaat het prima.

Tijdens de oppasdienst delen LaToya en ik een fles zoete witte wijn, en perfectioneren we de verbijsterende techniek om tegelijkertijd non-stop te kletsen en naar het ene na het andere slapende kind te luisteren. Onze diepgaande discussie over de tekortkomingen van het mannelijke geslacht wordt alleen maar even in de wacht gezet wanneer een van ons een krijser krijgt.

LaToya is zo gespannen als een veer – ze weet zeker dat Sophie vanavond alles uit de kast zal halen om de nieuwe ober te strikken.

Om vijf over twaalf brandt er bij ons allebei nog één lampje op het schakelbord. Dan gaat het mijne uit.

„Nee hè!" roept LaToya. „Wanneer komt die van mij nou eindelijk terug? Als ik niet snel ben, pikt dat kreng hem in, ik weet hoe ze is…"

„Ga jij maar," zeg ik tegen haar. „Schiet op. Het zal vast niet lang meer duren."

„O, Ro! Wat lief van je! Weet je het zeker?"

„Ja. Ga nou maar, voor je een zenuwinzinking krijgt."

Ze drukt een kus op mijn wang, zegt: „Ik sta bij je in het krijt, oké?" en stuift de deur uit.

Alleen in het hok blijf ik naar het laatste lichtje zitten loeren.

Hoe lelijk ik er ook naar kijk, het blijft hardnekkig branden. Ik werp een blik op mijn horloge. Kwart over twaalf. Oké, kamer 347, je tijd zit erop. Ik pak het formulier met contactgegevens en zie dat kamer 347 van ene Debbie Arbuckle is.

Ze is vast al op weg terug naar haar kamer, maar toch bel ik het restaurant waar ze zit.

De ober die opneemt doet ongelooflijk arrogant. Hij zegt dat ik moet wachten en blijft uren weg. Ik zit stil, wachtend tot het lampje uitgaat, wachtend tot er iemand aan de telefoon komt. Er gebeurt niets. Net wanneer ik de hoop op wil geven, klinkt er een dweperige, dringende vrouwenstem door de lijn. „Luister, meid, kun je me nog een uurtje geven? Ik betaal je ervoor! En goed ook! Vijftig? Vijftig dollar tot een uur… laten we zeggen kwart over een? Afgesproken?"

„Eh…"

„O, zeg alsjeblieft ja! Ik heb nog maar een uurtje nodig. Hij is bijna… hij gaat zo… Ik maak er honderd van. Honderd dollar. Schat?"

Mijn hebberigheid komt naar boven. „Ja!" roep ik. „Oké, ik blijf tot kwart over een. Komt u dan naar de oppaskamer?"

„Ja!" roept ze. „Ik weet waar het is. Ik heb dit al eerder gedaan."

Dat geloof ik graag, denk ik terwijl ik gedag zeg.

Vervolgens bel ik naar de bar. Landon neemt op. „Ha, schatje! Ik dacht al dat je me vergeten was."

Ik vertel hem wat er aan de hand is. Hij juicht, feliciteert me, en ik vraag of hij op me wil wachten. „Ik durf niet in mijn uppie door dat bos," zeg ik heel zoetjes. „Niet midden in de nacht."

„Tuurlijk," zegt hij. „Ik kom wel naar jou toe. Zodra ik hier klaar ben."

Ik put me uit in bedankjes. Dan krijg ik een geniale inval: ik zeg dat ik hem van de opbrengst op zijn volgende vrije dag op een uitje zal trakteren.

„Dat hoeft niet, Ro," zegt hij joviaal.

Ja wel, sufferd, ik wil je een dagje voor mezelf! „Landon, als jij me niet kwam halen, kón ik niet eens blijven! Dat geld... moreel gezien is het half van jou."

„Moreel gezien," schimpt hij.

„We kunnen ergens heen gaan. Iets leuks doen."

„Oké," stemt hij in. „Prima. Hé, ben je al eens naar een honkbalwedstrijd geweest?"

De moed zakt me in de schoenen. Ik heb sowieso weinig met sport, en op tv ziet honkbal er altijd behoorlijk suf uit. „Eh... nee, maar..."

„Je moet het een keer meemaken. Serieus, je kunt niet naar Amerika komen en géén honkbalwedstrijd zien."

„Oké, dan doen we dat," zeg ik. Want laat ik eerlijk zijn, ik zou nog naar een kippenslachterij gaan zolang het met hem was.

„Die collega van me. Hij had het over kaartjes voor de grote wedstrijd aanstaande zaterdag. Ik zei dat ik geen geld had, maar als je het méént..."

„Natuurlijk meen ik het. Zeg maar dat ik er twee wil hebben. Redden we het met honderd dollar?"

„Makkelijk. We maken er een feest van, gaan een hele dag weg. Ik kan zaterdag vrij krijgen, en jij?"

„Dat zal wel lukken," antwoord ik, zwijmelend bij de woorden „een hele dag". Volgens mij ben ik voor vrijdag ingeroosterd, maar anders kan ik wel ruilen met iemand."

„Mooi," zegt hij. „Hé, ik kom er zo aan."

Glunderend hang ik op.

Tegen kwart voor een wordt de deurkruk omlaaggeduwd, en ineens staat Landon bij me in het donkere hokje. „Ha, Roanne," fluistert hij terwijl hij op de rand van het bureau gaat zitten.

„Hoi," probeer ik zo kalm mogelijk te zeggen.

„Alles goed?"

„Ja. Fijn dat je er bent. Het is best eng hier in je eentje."

„Laat eens luisteren." Hij zet het koptelefoontje op, kreunt en trekt het weer af. „Alleen maar gesnurk." Dan, alsof het een logische stap is, buigt hij voorover, slaat zijn arm om mijn nek en zoent me. Misschien komt het doordat we een stukje uit elkaar zitten, maar het is beter, minder botsend. Net wanneer ik de smaak te pakken krijg trekt hij zich terug. „Dit kost me mijn rug," kreunt hij. Hij grijnst naar me, pakt mijn armen vast en trekt me uit mijn stoel. Ik sta tussen zijn gespreide benen, mijn gezicht iets hoger dan het zijne. Ik sla mijn armen om zijn nek en zoen hem weer. „Dit is niet zo'n geschikte plek," fluistert hij.

„Hoezo niet?"

„De deur kan niet op slot."

Ik glimlach alsof ik het met hem eens ben, maar vanbinnen ben ik dat niet. Dat is juist precies waarom het wél een geschikte plek is. Hier kun je elkaar niet zomaar bespringen, je moet je inhouden. En het half uur daarop doen we het rustig aan, we praten wat, lachen. Zoenen, strelen.

Dan wordt ineens de deur opengerukt. Ik spring achteruit, grijp de koptelefoon. Gelukkig, geen gehuil. „Ze slaapt nog!" roep ik zo nonchalant mogelijk tegen de vrouw die alleen maar Debbie Arbuckle kan zijn. Ze heeft torenhoog getoupeerd perzikroze haar en een metersdiep decolleté. Ze staat al in haar glimmende handtas te rommelen.

„Bedankt, meid," zegt ze. „Hier, o nee… ik heb maar zeventig dollar bij me. Is zeventig genoeg?"

Ik sta op het punt „ja hoor" te blaten, wanneer Landon tussenbeide komt. „Maar u heeft honderd gezegd."

Ze kijkt hem vals aan. „Wie ben jij?"

„Haar chef."

„Haar chef, mijn reet! Als je het mij vraagt hebben jullie hier een beetje zitten feesten en nu wil je mij in rekening brengen…"

„In rekening brengen? U hebt het zelf aangeboden! Weet u wat? We lopen gewoon even samen naar de geldautomaat in de winkelgalerij."

„Ik kan mijn kind niet zo lang alleen laten. Ik moet meteen terug naar mijn kamer."

Met een stalen gezicht houdt Landon haar de koptelefoon voor. „Hier, hoor maar. Ze is diep in slaap. Als we opschieten, kunt u binnen een kwartiertje naar boven. Komt u maar mee."

De vrouw staart naar hem, maar draait zich uiteindelijk op haar angstaanjagende roze stiletto's om en stampt voor ons uit naar de winkelgalerij.

Tien minuten later dartel ik lichtelijk hysterisch giechelend naast Landon het bos in. „Wat was jíj bot! Ik had die zeventig dollar ook wel aangenomen."

„Ah, kom op… zag je die handtas van haar? En al dat goud om haar nek? Dat mens búlkt van het geld."

„Hé, neem het nu maar vast." We hebben de rand van het bos bereikt. De halve maan boven het meer biedt net genoeg licht om het briefje van honderd uit mijn portemonnee te kunnen vissen.

Landon pakt het aan. „Weet je het zeker?"

Heel even twijfel ik. Ik vraag me af of ik die kaartjes ooit zal zien. „Natuurlijk," zeg ik dan.

Hij slaat zijn arm om me heen en drukt een zoen op mijn haar. „Het heeft zeker geen zin te vragen of je met me meegaat, hè?"

Hoe verleidelijk het ook is, ik schud mijn hoofd. „Niet zo aandringen, oké?"

„Sorry, sorry. Ik kan gewoon bijna niet van je afblijven." Dan drukt hij een kusje boven mijn oor.

Ik kan wel juichen.

27

Lieve Rowan,

Wat fijn om te lezen dat het zo goed gaat met je. Ik ben zo blij dat het je bevalt, dat je een leuk onderkomen hebt. Met Flossy gaat het inmiddels beter, al hebben we afgrijselijke toestanden gehad toen Sharon erachter kwam dat je weg was. Ik heb Taylor ervan overtuigd dat het beter was er een poosje tussenuit te gaan. We zijn saampjes voor een korte vakantie aan zee geweest. Ze heeft het enorm naar haar zin gehad, met pootjebaden en zandkastelen bouwen. Toen we terugkwamen was de storm gaan liggen, en ze hebben me gevraagd of ik nog wat langer wil blijven. Sharon zegt dat ze geen enkele kinderjuffrouw meer kan vertrouwen.

Ik heb korte metten gemaakt met de helft van Flossy's absurde verplichtingen – ik kan het op mijn leeftijd niet bolwerken. En ik moet zeggen dat ze sindsdien een stuk rustiger en vrolijker is. Ze heeft nog maar heel weinig nachtmerries! Ik leer haar breien en koekjes bakken, als een echte Poolse oma!

Meisje van me, ik wens je heel veel liefs,

Stasia Bielicka

In de envelop, die ik na acht afmattende uren in de crèche bij de receptie heb opgehaald, zit ook een prachtige tekening. Een zandkasteel met turquoise krabben eromheen en *Voor Rowan van Flossy, xxx* eronder. Terwijl ik hem in mijn keukentje ophang, denk ik: hou vol, Stasia Bielicka. Blijf alsjeblieft bij Flossy.

Twee dagen lang zie ik Landon niet. Onze roosters vallen gewoon niet samen. Ik word gek van verlangen naar hem. Ik hang rond bij het meer, loop langs de sportzaal, ga de bar in, maar loop hem steeds mis. Ik kan mezelf er niet toe zetten naar hem te vragen. Of een briefje onder zijn deur door te schuiven. Ik wil niet wanhopig overkomen. En ik wil dat híj achter míj aan zit.

„Jemig, Rowan, hebben jullie nou wat of niet?" zeurt LaToya als ik tegen haar klaag. „Heb je dan helemaal niets met hem áfgesproken?"

„Nee. Hij is er het type niet naar om dingen te plannen. Het gaat bij hem allemaal… je weet wel, spontaan."

„Tjonge, ik zou maar eens wat meer op mijn strepen gaan staan als ik jou was. Laat hem regelen dat jullie roosters samen-vallen, zodat jullie elkaar vaker kunnen zien."

„Régelen? Dat woord kent hij niet."

„Dan moet je het hem uitleggen."

Het punt is dat LaToya's zakelijke manier van denken gewoon niet werkt aan het meer. Zoals Landon en Ben en Rick het zien, komen mensen gewoon toevallig bij elkaar terecht, trappen lol, zien wel wat er gebeurt. En ik wil de ongeschreven wetten niet overtreden. Ik wil niet gespannen en overbezorgd overkomen.

Vroeg die avond zit ik met Iggy aan het water, ik met chips en hij met een avocado. Ik probeer te genieten van de stilte en schoonheid om me heen, maar mijn hoofd tolt van opgekropte verlangens, intriges, analyses en angsten. Ik probeer niet stil te staan bij het feit dat ik nog steeds niets over de honkbalkaartjes heb gehoord. Uiteindelijk loop ik naar de sportzaal voor een van de gratis lessen die Clint me heeft beloofd, en put mezelf uit op een roei-apparaat en met de gewichten. Hoe moe ik na afloop ook ben, ik blijf rusteloos.

De volgende dag is het vrijdag, en ik heb een slopende dubbele dienst in de crèche. Voor een fatsoenlijke lunchpauze is geen tijd; LaToya en ik zijn bedreven geraakt in het pikken van boterhammen en koekjes van het lunchbuffet voor de kinderen. Ik beloof mezelf dat Landon vandaag, de laatste dag voor de honkbalwedstrijd, met de kaartjes op zal duiken. Van acht tot vier tuur ik aldoor uit het raam, let ik op de deur. Tegen het einde van de dag lijkt het wel of mijn maag is volgegoten met beton. Ik ren terug naar de huisjes, zeker wetend dat hij aan het water zit of een briefje voor me heeft achtergelaten, wat dan ook.

Niets.

Ik strompel mijn slaapkamer in en kruip onder de dekens. Ik staar naar het licht dat over de witgeverfde wanden kruipt, naar de kronkelende rank die door het openstaande raam naar binnen kruipt, en probeer aan iets anders te denken.

Met wild bonkend hart schiet ik wakker. Het is al bijna donker, en het lijkt alsof ik eeuwen heb geslapen. Even weet ik niet waar ik ben. Dan besef ik waarvan ik zo geschrokken ben.

Buiten is een feest aan de gang.

Ik trek mijn kimono aan, hobbel naar het open raam en tuur naar buiten. Bij het meer brandt een vuur; het licht weerkaatst op het water. Uit een kleine cd-speler blèrt muziek, overstemd door geklets en gelach. Ik zie negen mensen rond het vuur zitten en lopen, met bierflesjes in hun hand.

Landon ligt op zijn zij te praten met een meisje dat ik niet eerder heb gezien. Hij heeft een joint in zijn hand. Door de rookwolk om zijn hoofd ziet hij eruit als een gevallen engel. Rick zit naast hem te praten met een man die ik niet herken. Ben staat in het vuur te porren. Clint heeft een heel mooi Japans meisje in zijn armen.

Ik voel me zo buitengesloten, zo genegeerd, dat ik wel kan janken.

Nee, ik wil niet janken. Ik wil een geweer pakken en ze allemaal met kogels doorzeven...

Ho ho, rustig aan. Maar waarom is Landon me niet komen halen? Waarom heeft hij niet gezegd dat ze een feestje zouden geven? Waarom heeft hij me niet úítgenodigd?

Juist.

Een kwartier later heb ik me opgemaakt, mijn haar geborsteld, mijn favoriete zomerrokje en een sexy topje aangetrokken. Na een goedkeurende blik in de spiegel paradeer ik op blote voeten naar buiten. De zenuwen gieren door mijn keel maar ik gedraag me rustig, onverschillig. Niemand merkt me op. Ik loop over het zand op de groep af.

Eindelijk kijkt Ben op van het vuur. „Hé, Ro!" roept hij.

Ik reageer niet. Ik kijk naar Landon. Die zijn hoofd opheft bij het horen van mijn naam en me recht aankijkt...

„Ro!" roept hij, een en al enthousiasme en verbazing. „Hé, dus je was er wél! Ik heb nog staan roepen, maar ik dacht dat je weg was..."

„Ik lag te pitten," zeg ik. „Ik was bekaf."

„Nou, kom erbij zitten, schatje! We hebben biefstuk, die had ik je beloofd, hè?"

„Ja," mompel ik. Alleen, denk ik, dacht ik dat we sámen zouden barbecuen.

Het meisje naast Landon werpt me een vijandige blik toe. Ik wacht tot Landon overeind komt, of mij naast zich trekt, me ópeist. „Biertje?" vraagt hij luchtig. „Daar. We hebben een krat gehaald."

„Voordeel van achter de bar staan," brabbelt Ben.

„Ja, en het voordeel van in de bediening zitten…"

„Gratis biefstuk!"

„Ja!"

En daar gaan ze weer met hun misselijkmakende stoere-gasten-onder-mekaar-routine. Ben hurkt naast Landon en pakt de joint. Verstijfd loop ik weg, pak een biertje voor mezelf en trek onhandig het dopje eraf langs de zijkant van het krat. Ik vertik het bij ze te gaan zitten, niet zolang die vijandige meid erbij is.

Eindelijk komt Landon overeind. „Even naar het vuur kijken," mompelt hij terwijl hij naar me toe komt. „Zou het al heet genoeg zijn?"

„Vast," zegt Ben terwijl hij een rookwolk uitblaast. „Gooi ze er maar op."

Vanuit mijn ooghoek zie ik dat ook de vijandin overeind komt. Als een speer sta ik naast Landon. „Hulp nodig?" vraag ik.

En halleluja, hij slaat zijn arm om me heen, trekt me tegen zich aan. „Graag. Wil jij deze uitpakken?" Hij geeft me een bloederig papieren pakket aan. Eerbiedig neem ik het aan. En als een goedkoop televisieduo werken we samen, we wrijven het vlees in met olie en leggen het op de gril. „Waar zat je nou?" vraagt hij. „Waarom ben je niet naar de bar gekomen?"

Het beton in mijn maag smelt. „Ik wist niet wanneer je dienst had," antwoord ik zo achteloos mogelijk. „Waarom ben jij niet naar de crèche gekomen?"

„De crèche? Ik heb een paar keer hier op je deur staan bonken."

„Ja? Dan was ik er niet."

„Ik dacht dat je me probeerde te ontwijken."

Het vloeibare beton verandert in zoete honing. Ik werp de vijandin een triomfantelijk lachje toe. Ze gaat weer liggen, staart naar de lucht en laat alle hoop varen. Ik neem nog een slok bier en buig me naar hem toe. „En? Heb je er zin in, morgen?"

„De wedstrijd? Ja, zeker – hé, ik heb ze!" Hij steekt zijn hand in zijn broekzak en haalt er twee kaartjes met ezelsoren uit. „Ik heb ze geen moment uit het oog verloren. Ik heb ze zelfs mee naar béd genomen!" Hij wil ze aan mij geven.

„Hou jij ze maar bij je," zeg ik lachend. „Jij bewaakt ze beter."

„We moeten om negen uur vertrekken. Is dat niet te vroeg voor je?"

„Nee, dat lukt wel."

„Het wordt fantastisch. De Tygers zijn sinds vorig seizoen met sprongen vooruitgegaan, ze zijn…"

Hij valt stil. Rondom Rick is een dronkemanshysterie uitgebroken. „Nee, ik zweer het!" mompelt hij. „Het zit naast de damesplee! Een luierkamer!"

„Daar kun je je baby verschonen, man!"

„Nee nee! Het is om even bij te komen, er staan ligstoelen!"

Iedereen staat in zijn broek te piesen van het lachen, zo grappig vinden ze het, en ze gaan door met de flauwe geintjes, de een nog platter dan de ander. Ik kijk boos naar Landon wanneer ik hem hoor snuiven en lachen. Tjonge, als hij niet zo knap was…

Het is alsof ik aldoor heen en weer geslingerd word tussen verliefdheid en regelrechte haat. Het is slopend.

Morgen, denk ik, morgen is de Dag van de Waarheid. Morgen heb ik hem helemaal voor mezelf. Morgen weet ik hoe hij echt in elkaar zit.

28

Na een lange busrit (één overstap) komen we bij het honkbal-
stadion aan. Ben heeft beloofd Iggy in de gaten te houden, dus
we kunnen zo lang weg blijven als we willen. We hebben allebei ook morgen vrij. Niets kan het mooiste weekeinde van mijn
leven nog in de weg staan.

De reis zelf was nogal saai, vooral omdat Landon zo'n beetje
de hele tijd heeft liggen slapen, maar vijf minuten na aankomst
in het stadion besef ik dat ik honkbal ernstig heb onderschat.
Het is net een heel groot feest, een festival. Grote menigten blije
mensen die bier en hotdogs kopen, hun eigen aanhang als
oude vrienden begroeten en die van de tegenpartij voor gek
verklaren. Er klinkt harde muziek, er is vuurwerk, er staan
cheerleaders te dansen en de zon staat hoog in de strakblauwe
lucht… „Dit," zeg ik, „is heel wat anders dan in de ijskoude
modder naar een rugbywedstrijd moeten kijken."

Landon pakt lachend mijn hand, en we vinden onze zitplaat-
sen. Het duurt nog maar tien minuten voor de wedstrijd begint
en het stadion gonst van de opwinding.

Dan komt het team het veld op. Het publiek loeit.

De beste manier om van het honkbal te genieten, ontdek ik, is
indirect. Ik geniet ervan hoe Landon me alles uitlegt, te zien
hoe hij zich laat meeslepen. Ik geniet er vooral van dicht bij
hem te zijn terwijl hij zo opgaat in iets anders – iets anders wat
geen andere persoon is, waardoor ik niet word buitengesloten.
Het is alsof hij in een kooi zit en ik hem door de tralies heen

aan kan raken. Het is ontzettend erotisch.

In de pauze staan de Tygers met drie punten voor en Landon is in een roes van spanning en opwinding. Hij haalt nog wat bier en dan kijkt hij me voor het eerst die dag recht in de ogen. „Ro, dit is te gek. Ik kan er niet bij dat ik hier zit. Heel erg bedankt, ik meen het." Hij geeft me een zoen op mijn mond. „Heb je het naar je zin, schatje?"

„Ja," antwoord ik compleet eerlijk. „Ik smul ervan."

De Tygers winnen met negen-drie. We voegen ons in het zegevierende leger dat het stadion uit stroomt, vinden een café dat nog net niet uit zijn voegen barst en wurmen ons samen naar een bankje in de hoek. Ik leg mijn hand op zijn been en realiseer me dat er iets met me is gebeurd. Eerst was ik verliefd op hem... zijn uiterlijk, zijn stem, zijn manier van bewegen. Maar nu, na een hele dag met hem samen, onze dijen tegen elkaar, elkaars hand vasthoudend, ontspannen pratend... nu ben ik verslaafd. Ik ben verslaafd en ik móét hem hebben en ik durf er niet eens aan te denken hoe het zou zijn van hem af te kicken...

Het rare is alleen dat we sinds het einde van de wedstrijd en het gedrang op weg naar buiten niet meer hebben gepraat. We zijn allebei stilgevallen. Ik vind het verschrikkelijk. Uiteindelijk verzamel ik moed en vraag: „Is er iets?"

„Hoe bedoel je?"

„Ik weet niet. Het is zo raar, het lijkt wel... het lijkt wel alsof we elkaar niets meer te vertellen hebben."

„Dat komt doordat we eigenlijk niet willen práten," zegt hij en hij kijkt veelbetekenend naar mijn hand op zijn been. „Omdat we eigenlijk andere dingen met elkaar willen doen."

Mijn wangen worden vuurrood. Hij weigert me aan te kijken.

„Ik weet wat je denkt," mompelt hij. „Ik weet dat je vindt dat ik je van het begin af aan heb geprobeerd te bespringen, en wat ik nu ga zeggen vind je vast de slapste smoes die je ooit hebt gehoord. Nou, het is geen smoes, het is wáár. Van het begin af aan heb ik met je willen vrijen. Ik sla gewoon dicht van opwinding als ik bij je ben. Zo. Nu weet je het."

Hij richt zijn blik op zijn lege bierflesje; hij kijkt haast knorrig. Ik wil me het liefst boven op hem storten, hem bijten, zoenen, fijnknijpen. In plaats daarvan sta ik op om nog een biertje voor hem te halen.

Wat doet je precies besluiten met iemand naar bed te gaan? Is dat wel eens onderzocht? Is hij veranderd, ben ik veranderd? Wat het ook is, alles is ineens anders. In de bus terug naar het hotel laten we elkaar geen moment los. We zeggen nog steeds weinig, maar het is min of meer beklonken dat we straks niet elk naar ons eigen hutje teruggaan.

Het briefje op Landons deur is met rode lippenstift geschreven. Waardoor ik eigenlijk meteen zou moeten weten hoe laat het is. Het enige wat erop staat is: *Raad eens wie er is?* In plaats van een puntje, zit er een hartje boven de 'i' van wie.

29

„Nee hè," brengt Landon uit. „Nee hè."

Het is vreselijk om te zien hoe zijn hele gezicht is veranderd. Ik heb hem nog nooit eerder zo zien kijken. Geschrokken, blij, ontzet en nerveus en nog heel veel meer, allemaal tegelijk.

„Het is Coco, hè?" zeg ik.

„Ja. Man. Dit is zó typerend voor haar. Zeggen dat ze niet komt en dan tóch ineens opduiken…"

Waarom vecht ik niet voor hem? Waarom zeg ik niet: maar je bent nu toch met mij?

„Waar zou ze kunnen zitten?" vraag ik.

„In de bar. Daar zal ze wel weer ingedeeld zijn. Als serveerster."

„Dan moet je daar maar heen, hè?" zeg ik mat.

Hij draait zich naar me toe. „Luister, ik moet even met haar praten, oké? Ro… ik meende wat ik vanavond zei. En het was geweldig vandaag, ik…"

„Ga nou maar," mompel ik. Ik draai me om en loop naar mijn eigen huisje.

Drie uur lang zit ik in mijn uppie op de vloer, mijn hoofd tegen de achterkant van de bank. Af en toe zwiept Iggy's staart heen en weer; verder blijft het stil. Naarmate de minuten verstrijken en Landon wegblijft, lijkt mijn hart langzaam weg te teren van pijn.

Rond half elf wordt er op de deur geklopt. Ik doe open. Als ik nog hoop had gehad, vervaagt dat bij het zien van Landons gezicht. Zwijgend loop ik terug naar binnen en hij komt mee.

Ik herken hem amper. Hij straalt, lijkt bedwelmd, maar tegelijk ziet hij er kleintjes uit. Stiekem, schuldbewust. Zijn ogen ontwijken de mijne.

„Ro-anne, ik vind het zo erg," zegt hij. „Zomaar weglopen, nadat we zo'n leuke dag hebben gehad."

„Maakt niet uit," lieg ik. „En? Was ze er?"

„Ja. Ze is terug."

„En jullie…?"

„We… het is weer aan, ja. We hebben al die tijd zitten praten, en… Luister, ik vind het vreselijk. Jij en ik… het had iets moois kunnen worden, dat weet ik. Nog een geluk dat we niets serieus hadden, dat we alleen maar wat hebben gerommeld."

Van binnen krimp ik ineen. Als hij zó stom is dat hij niet doorheeft wat ik voor hem voel, dan wil ik hem niet eens meer. Ik ben razend, en het liefst wil ik hem ook pijn doen, maar het enige wat ik kan bedenken is: „Hé, geen punt. Zoveel stelde het ook weer niet voor."

Uit zijn blik kan ik niet opmaken of hij ook maar hoort wat ik zeg. Hij is alweer op weg naar buiten. „We blijven wel vrienden, hè, Ro?"

En God vergeef me, ik zeg: „Ja hoor."

30

Het duurt maar twaalf uur voordat ik Coco in levenden lijve te zien krijg.

Wanneer Landon vertrokken is, verdoof ik mezelf met bier, huil ik mijn longen uit mijn lijf en val ik ten slotte uitgeput in slaap. De volgende ochtend laat ik Iggy naar buiten en duik het meer in. Ik zwem drie keer heen en weer. Ik probeer alle gedachten uit te bannen. Ik wil nergens meer aan denken, niets meer voelen.

Ik sjok mijn huisje weer in en kleed me aan voor de middagdienst. Ik dwing mezelf wat brood te eten en een mok thee te drinken. Bij wijze van uitzondering kijk ik ernaar uit naar de crèche te gaan, mijn gepieker te laten overstemmen door het gejengel en gejoel.

Wanneer ik mijn deur op slot doe, zie ik Landon samen met een meisje naar buiten komen. Ze is heel slank, heel mooi, heel blond. Ze ziet er veel te verfijnd uit om aan het meer te logeren; ze heeft zelfs hoge hakken aan. Ik kijk haar aan en besef dat het definitief over is tussen Landon en mij.

Hoewel ik misselijk ben van jaloezie en verdriet, loop ik op hen af.

Landon staat naar zijn schoenen te staren. „Hoi, Ro," mompelt hij. „Coco, dit is Rowan."

Ik kan haar wel wurgen. Toch zeg ik heel vriendelijk hallo, en zij zegt hallo terug. En dan steekt ze van wal; ze vertelt waarom ze toch nog is gekomen, dat ze na een hoop wikken en wegen heeft besloten hem nog één laatste kans te geven, dat Landon en zij zo'n maffe knipperlichtrelatie hebben maar niet zonder elkaar kunnen. Intussen wrijft ze aldoor over zijn arm, legt haar hand op zijn schouder, raakt zijn wang aan...

Haar gezicht is rond, sensueel, met volle lippen en heel expressief. Haar uitdrukking verandert voortdurend. Het is fascinerend, je móét ernaar kijken. Ze straalt ongelooflijk veel energie uit. Landon is behekst, besef ik wanneer ik zie hoe hij haar staat aan te staren. Hij lijkt wel... verslaafd.

„... maar we blijven niet in dat hutje, hè, Lan? Dat was vorig jaar. Je moet niet in herhaling vallen. Dat hippiegedoe met kampvuurtjes en alles. En ik krijg gewoon de bibbers van die uilen 's nachts. We hebben een heel leuk clubje in het hotel, we hebben vreselijk veel lol. En je moet mijn kámer eens zien! Ik heb een suite gekregen!"

„Alleen omdat de manager op je geilt."

Coco stoot een kirrend lachje uit. „Je bent jaloers! O liefje, je bent jaloers!"

Ik kan het niet meer aanzien. „Ik moet ervandoor," breng ik uit, „anders kom ik te laat."

Wanneer LaToya hoort wat er is gebeurd, is ze woest op Landon. Ze probeert me te troosten, en zelfs Maria is aardig wanneer ze me later die dag huilend in het kleedkamertje aantreft. Ze zegt dat ik veel te goed ben voor „die domme jongen" en laat me wat eerder weggaan. LaToya haalt me over die avond met haar mee uit te gaan, ook al was ze van plan nog een gooi te doen naar de knappe nieuwe ober. „Kom op," zegt ze. „We zoeken gewoon allebei een ander!"

Er gaan drie weken voorbij. Ik doe net alsof ik me eroverheen heb gezet. Landon zie ik niet veel. Hij woont zo'n beetje permanent bij Coco, in haar keldersuite, al komt hij af en toe naar zijn huisje, soms samen met haar, soms in zijn eentje.

Het is halverwege augustus; de zon is heet en fel, er hangt een waas van hitte boven het meer. Iggy blijft tegenwoordig ook 's nachts buiten – hij weigert eenvoudigweg binnen te komen als het donker wordt.

Ben en Rick nemen me min of meer over, vullen het gat op dat Landon heeft achtergelaten. Ben is heel lief, hij nodigt me uit als hij eten klaarmaakt, trommelt me op voor fietstochtjes, neemt me mee naar de bioscoop in het dorp. Over Landon praten is voor hem taboe. Anders dan voor Rick, die aldoor verslag doet over hoe het met Landon en Coco gaat. Vooral zinspelen op hun heftige seksleven doet hij graag.

Er trekken meer vakantiewerkers in de huisjes aan het meer; we vormen een wisselende maar hechte groep. We gaan met zijn allen zwemmen, stoken 's avonds een vuur. De dag waarop ik te horen krijg dat ik geslaagd ben en op de universiteit van Warwick word toegelaten, houden we een groot feest dat tot diep in de nacht doorgaat.

Al met al heb ik mijn leven aardig op de rails. Ik ben de Britse kinderjuffrouw, degene met de maffe leguaan op haar schouder. Al met al is het geen slechte manier om je zomer door te brengen.

Alleen twijfel ik soms of ik het wel echt naar mijn zin heb. Soms denk ik dat ik alleen maar bezig ben met het verdringen van mijn jaloezie, een jaloezie zo brandend dat ik erdoor word verteerd. Ik hoef maar een glimp van Landon op te vangen of mijn hart begint te bonken en te hameren.

Ik doe alsof we nog vrienden zijn, ik doe zelfs aardig tegen Coco, hoe ik haar ook haat. Af en toe komen ze samen naar een barbecue aan het meer, af en toe loop ik ze in het hotel tegen het lijf. Coco behandelt me uit de hoogte, doet overdreven sexy als ze samen met Landon is. Ik weet niet of hij haar over ons heeft verteld, of dat haar intuïtie haar tegen me waarschuwt, maar ze wrijft me flink in dat hij van haar is. Ik zie haar met andere jongens flirten om Landon jaloers te maken, en ik zie dat het haar lukt. Ik zie ze ruziemaken, het weer bijleggen, in het openbaar en vol passie. Op een avond loopt het zo hoog op dat ze een glas naar zijn hoofd smijt. Hij bukt, het valt op de grond en spat in scherven uiteen. Ze stormt weg en mijn hart zwelt op – tot hij haar achterna rent.

Gek word ik ervan, dat ik nog steeds zo geobsedeerd ben door hem. Ik blijf hopen, blijf wachten tot er iets gebeurt.

En dan op een dag is het zover.

DEEL 4

Vlucht uit het paradijs

Soms moet je vluchten van dat wat je het allerliefste wilt om een kans te hebben het ook te krijgen. Nou en? Niemand heeft gezegd dat er logica zit in het leven.

31

De dag begint goed. Wanneer ik 's ochtends naar buiten kom stapt Rick net zijn veranda af, en hij vertelt glunderend dat Landon en Coco weer eens slaande ruzie hebben gehad. „Dit keer was het écht erg," zegt hij terwijl hij me oplettend aankijkt. „Héél heftig."

Ik doe of het me niet interesseert, maar hoe druk ik het ook heb met de dubbele crèchedienst, ik voel me de hele dag opgewonden, alsof ik een soort macht heb, en zelfs de grootste etters in de groep krijgen me niet klein.

Na mijn werk loop ik door het bos naar het meer. Ik voel me zalig. Ik denk aan Londen, aan al die mensen die zich in de metro persen en alleen maar uitlaatgassen ruiken, en ik lach haast hardop. Het gras ruist langs mijn benen, krekels springen voor mijn voeten op.

Ik wandel om het meer heen, dat er koel en aanlokkelijk uitziet met zijn zoom van grootbladige planten. De zon bereikt net de bovenste tree van mijn verandatrap en werpt een honingkleurige gloed over het hout. Iggy is nergens te bekennen. Ik roep hem een paar keer, schop dan mijn schoenen uit en loop over de warme planken naar de deur. Eenmaal binnen blijf ik even staan. Allemaal van mij, denk ik glunderend, allemaal van mij. Ik loop de slaapkamer in, kleed me uit en trek mijn bikini aan. In de spiegel bestudeer ik mijn figuur. Ik ben slanker geworden, gespierder, bruiner. Door het zwemmen en trainen in de sportzaal. Degene die jou krijgt, denk ik, mag in zijn handen knijpen. Wakker worden, Landon! Dump dat peroxideblondje en neem mij!

Het is zó oneerlijk. Waarom moest die psychotische feeks hem nou inpikken?

Ik pak een nectarine om Iggy mee te lokken en een biertje voor mezelf. Het is volmaakt stil buiten, op een vaag, kalmerend geritsel van de boomtoppen na. Binnen de kortste keren hoor ik een vertrouwd schrapend geluid, en Iggy komt met zijn leguanengrijns op me af galopperen.

„Wat ben je toch schitterend, Iggy," zeg ik. „Moet je je schubben zien glanzen in de zon." Ik neem een grote hap uit de nectarine en hou de rest voor zijn neus. Hij snuffelt, slurpt het sap op, schrokt genotzuchtig. Zijn kop is harder geworden, volwassener. „Weet je zéker dat je geen betoverde prins bent, Iggy?" fluister ik. „Kun je echt niet in een knappe man veranderen die smoorverliefd op me is?" Vlug druk ik een kusje op zijn koude kop.

„Hé!"

Ik kijk op. Mijn hart slaat een slag over. Het is Landon. Hij is op blote voeten aan komen lopen, ik heb niets gehoord. O help, wat is hij mooi. Zijn haar zit in natte piekjes van het zwemmen. Zijn lach is sexy, zijn tanden zijn spierwit. Hij heeft een zwemshort aan, en bij zijn witte T-shirt is zijn huid zo bruin als mahoniehout.

Ik smelt, ik dreig tussen de kieren van de verandaplanken weg te vloeien.

„Hé!" roept hij weer. „Jullie zijn een mooi stel zo samen!"

„Hallo," roep ik zwakjes terug. Ik kijk langs hem heen of ik Coco zie, maar ze is er niet.

„Zit je dienst erop?"

„Ja." Ik neem een slok bier. „Heb je gezwommen?"

„Gedréven," antwoordt hij. „Het is zo ongelooflijk mooi hier, de lucht, het water…"

„Je hebt zitten blowen, hè?"

Hij lacht. „Eentje maar. Ga je het water nog in?"

„Straks. Wil je een biertje?"

Terwijl hij de trap op komt lopen, moet ik mezelf eraan herinneren te blijven ademen. Zelfs zijn vóéten zijn sexy.

„Als ik bij je kom zitten," vraagt hij, „wordt Iggy dan niet jaloers?"

„Zolang je maar van zijn nectarine afblijft."

„Nou ja, ik zag jullie net zitten zoenen. Ik was bang dat ik misschien stoorde."

„Zoenen!" herhaal ik gniffelend, intussen vurig hopend dat hij niet heeft gehoord wat ik tegen Iggy zei. „Pak maar een biertje uit de koelkast."

Terwijl hij naar binnen loopt, knijp ik mijn ogen dicht. In mijn hoofd speelt zich een film af – ik volg hem het huisje in, hij draait zich naar me toe, kijkt me aan en ineens weten we het allebei, we grijpen elkaar vast, versmelten…

„Ro?"

Ik schrik op. „Ja?"

„Niks. Je keek alleen zo raar."

Ik slik. „O, ik zat gewoon te denken."

„Waarover?"

„O, je weet wel." Ik denk koortsachtig na. „Over wat een ettertjes kinderen vaak zijn."

Hij ploft naast me neer en geeft Iggy een por. Dan strekt hij zich in zijn volle lengte uit en leunt op zijn elleboog opzij. Ik krijg de bijna onbedwingbare aandrang naast hem te gaan liggen, maar ik blijf zitten, mijn rug tegen de warme houten wand.

„Je zou in de bar moeten komen werken, Ro," zegt hij. „Je zou een partij fooi krijgen met dat deftige accent."

198

Ik lach. „Blieft u nog een consumptie, meneer?" vraag ik heel kakkineus. „Met een verkwikkende versnapering erbij, wellicht?"

„Ja, zo!"

We schateren het allebei uit. Het is vreemd, het is net weer als voordat Coco opdook, beter nog. Ik weet dat hij half stoned is, maar toch... „Misschien doe ik het wel," breng ik ademloos uit. „In de bar komen werken, bedoel ik. Voordat ik de halve crèche uitmoord."

„Doen, Ro. Kom bij mij werken. Dat wordt lachen."

Ik haal diep adem en waag het erop. „Zou Coco niet de pest in krijgen als ik met jou samenwerkte?"

Er komt geen antwoord. Landon staart naar de vloer, draait zijn bierflesje rond in zijn hand.

Nu heb je het vergald, sufkop, denk ik angstig.

„Dat heeft ze toch wel," zegt hij dan.

„Wat?"

„De pest in."

Er valt nog een stilte, eentje vol beloften. Ik haal mijn schouders op. „Hoezo?"

„Ik weet niet. Ze heeft overal commentaar op. Ik doe het nooit goed."

„Wat bedoel je precies?" vraag ik heel behoedzaam.

„Ik weet niet," mompelt hij. „Alles wat ik zeg is verkeerd. Het loopt steeds op bonje uit."

„O nee," zeg ik – o ja, denk ik. „Leg eens uit."

„Ik snap er niks van. Ik ben niet... bezitterig genoeg of zoiets." Hij zucht. „Nou ja, je zit niet op mijn geklaag te wachten."

„Geeft niet. Daar zijn we toch vrienden voor?"

Hij glimlacht, een en al zieligheid. Dan gaat hij verder. „Laatst zat ze een keer aan de bar te wachten tot ik klaar was.

Er zat een vent een paar stoelen verder. Hij schuift naar haar op, probeert een praatje aan te knopen. Ze zegt dat hij op moet donderen – hij dondert op. Mooi, opgelost toch?"

„Dat lijkt me wel, ja."

„Ha, dat vond Coco dus niet. Het was mijn schúld! Ik had ertussen moeten springen, die vent weg moeten jagen. Ik had haar moeten beschérmen…"

„Maar hij deed toch niks?"

„Nee, precies."

„En je kunt toch niet zomaar een gast de bar uit zetten?" Ik melk Coco's gemeenheid tot de laatste druppel uit. „Zoiets kan je je baan kosten!"

„Dat zei ik ook." Landon kijkt me recht in de ogen. „Vliegt ze me toch ineens aan! Krijsen dat ik zo – wat was het ook weer – oppervlakkig was. Zo tweedimensionaal."

„Tweedimensionaal? Wat betekent dat?"

„Geen flauw idee. Volgens mij was ze pissig omdat ik niet jaloers was. Ze loopt met een of ander verknipt idee van jaloezie rond, en ze wil dat ik het spelletje meespeel."

FanTAStisch! Het wordt steeds mooier! Oké, rustig aan, Rowan. Hou je hoofd koel. Niet laten merken dat je wanhopig wilt dat Coco opdondert. „Ze draait wel weer bij," zeg ik zo luchtig mogelijk.

En net als ik mezelf wel voor mijn kop kan slaan om die sullige opmerking, zegt hij: „Vast. Maar voor mij hoeft het niet meer."

32

Voor mij hoeft het niet meer.

Die zes woordjes zijn als een boei voor een drenkeling. Ik sla ze op in mijn hoofd zodat ik me er later over kan verkneukelen.

Landon vouwt zijn handen achter zijn hoofd, rekt zich loom uit en mompelt: „Dit hier is een paradijs, een regelrecht paradijs, en zij loopt maar te zaniken. Ze wil nooit mee naar het meer, ze weigert gewoon... te ontspánnen! Het over zich heen te laten komen! Ik snap niet waarom ze zo moeilijk doet."

Ik wel, denk ik, ik snap het maar al te goed. Je bent zo'n stuk dat ze als de dood is dat een ander je inpikt. Als ik zelf niet verliefd op je was, zou ik misschien zelfs medelijden met haar hebben.

Ik neem nog een slokje bier, kijk meelevend maar onaangedaan. „En nu?"

Hij krabbelt overeind. „Nu ga ik zwemmen!" Zonder nog achterom te kijken rent hij naar het water. Onderweg trekt hij zijn T-shirt uit. Ik staar naar zijn gespierde rug terwijl hij zich als een boom die wordt omgekapt in het water laat vallen.

„Kom op, Ro!" roept hij terwijl hij weer boven komt. „Het elastiek van je bikini droogt helemaal uit!"

Ik voel me ongemakkelijk, durf niet op te staan terwijl hij naar me kijkt. Het lijkt te veel op de eerste keer dat we gingen zwemmen.

Het water kabbelt om zijn middel. „Kom nou!"

Langzaam kom ik overeind. Denk aan hoe je er daarstraks in

de spiegel uitzag, hou ik mezelf voor. Denk aan hoe trots je was. Ik begin het trapje af te lopen, mijn kin omhoog en mijn buikspieren aangetrokken. Rustig lopen, niet hollen.

Hij blijft kijken. Hij kan zijn ogen niet van me afhouden. Hij doet zijn best zijn blik op mijn gezicht te richten, maar hij blijft afdalen.

Ik begin ervan te genieten. „Kom erin," zegt hij wanneer ik aan de rand van het water sta. Zijn stem klinkt anders, gespannen. Hij heft zijn arm op en slaat op het water om me nat te spetteren. Ik duik onder en begin te zwemmen.

Hij komt achter me aan. Ik borstcrawl als een bezetene naar de bomen aan de overkant, grijp me vast aan een van de enorme wortels en trek mezelf omhoog. Tegen de tijd dat hij me heeft ingehaald, zit ik al lang en breed met mijn benen in het water te bungelen. „Je lijkt Iggy wel, zo op die tak," roept hij hijgend. Dan begint hij aan de wortel te schudden.

„Hé, hou op!" roep ik, „hou daarmee…" Ik plons onelegant in het water.

Meteen grijpt hij me bij mijn been. Ik probeer hem weg te trappen; hij laat los en grijpt me bij mijn armen.

O help. Ineens zijn onze gezichten vlak bij elkaar. Een van mijn schouderbandjes is achter zijn duim blijven steken en hij trekt het verder omlaag. Ik hap naar lucht.

„En als ik nou eens niet ophou?" fluistert hij.

Onder water zijn onze benen verstrengeld. We beginnen te zinken. Hij laat mijn armen los en in een reflex schiet ik weg en begin weer naar de andere kant te zwemmen. Dat was voorlopig genoeg, hou ik mezelf voor. Jémig, genoeg? Het was mij bijna te véél geworden! Ik voel nog steeds zijn handen op mijn armen, zijn borst tegen de mijne. Ik meerder vaart. Voorlopig was het genoeg, denk ik weer. Hij komt wel achter je aan, als hij bedoelt wat je hoopt dat hij bedoelt. Hij haalt je wel weer in.

Wanneer ik halverwege ben, hoor ik een schrille kreet. Watertrappelend tuur ik naar de oever. En daar staat Coco. In een kort rood jurkje met bijpassende hoge sandalen, haar handen in haar zij, voorovergebogen, razend en tierend...

„O-o," hoor ik Landon zeggen.

Hij duikt vlak achter me op.

Ja! Hij is me achter me áán gekomen!

33

„Vuile smeerlap! Dus daarom wou je niet mee winkelen, hè? Dus dit is wat je uitvreet als je zogenaamd hoofdpijn hebt, hè? Vieze schoft!" Coco scheldt zonder adem te halen door. Haar gezicht is vertrokken; ze ziet eruit als een valse mopshond die een toeval heeft. Geweldig!

„O-o," mompelt Landon opnieuw. „Nu zal je het hebben."

„Kom eruit!" krijst Coco. „Kom uit dat water! Hoe lang is dit al aan de gang? Lándón! Hoe lang heb je al iets met die Britse muts?"

Ga door, ga door, denk ik. Als ze al geen beroerte krijgt van razernij en dood neervalt, zal haar hysterische viswijf-opvoering er wel voor zorgen dat Landon voorgoed op haar afknapt.

Hij begint haar richting op te zwemmen; ik zwem kalmpjes met hem mee, omdat ik weet dat dat haar nog woester zal maken.

„We waren gewoon aan het zwémmen," mompel ik tegen hem. „Wat staat ze nou te gillen?"

„Ik zei toch, ze heeft iets met jaloezie."

„Nou, jij hoeft je nergens schuldig over te voelen, hoor, Landon. Je hebt niks verkeerd gedaan."

„Ze wilde dat ik mee ging winkelen – ik heb gezegd dat ik hoofdpijn had, om eronderuit te kunnen."

„Een frisse duik is heel goed tegen hoofdpijn, hè?"

Door de golfjes die zijn armen maken werpt hij me een grijns toe. „Goh, jij moet strafpleiter worden!"

In het ondiepe gedeelte houden we op met praten. We lopen verder naar de rand van het water. Coco keert zich sputterend naar mij toe. Haar gezicht is net zo rood als haar jurk, ze ziet er afstotelijk uit. „Wat kom jij doen?" gilt ze. „Ik wil hem alléén spreken!"

„Tjonge, rustig maar, Coco," zeg ik poeslief. „Dit is toevallig de kortste route naar mijn huisje."

„Ja, schatje, rustig nou maar," zegt Landon. „We waren gewoon aan het zwemmen."

„Zo zag het er anders niet uit! Jij gore leugenaar!"

„O, toe nou, Coco, hou je in! Hoor eens, ik heb geen zin om met je te praten als je zo tekeergaat." En hij houdt zijn pas in, loopt niet dichter naar haar toe. Dus ook ik blijf staan.

Coco kijkt me vernietigend aan. Haar gezicht lijkt wel een steenpuist die elk moment open kan barsten. Ik draai me wat naar Landon toe en sla mijn armen om mijn middel, precies daar waar hij me zo-even heeft vastgehouden, waardoor mijn borsten wat meer omhoog worden gedrukt.

„Blijf met je poten van hem af, jij sloerie!" krijst Coco. „Vuile slet!"

„Jemig, Coco, doe normaal!" roept Landon.

„Ik heb het gezien! Jullie waren aan het zoenen! Je had haar vast en jullie waren aan het zoenen!"

„Niet waar, we waren gewoon aan het stoeien."

„O ja! Wat gezellig! Je was te ziek om met mij te gaan winkelen, maar met haar…"

„Het is over. Door het koude water."

„O, lulkoek! Wat sta jíj te grijnzen?" valt ze naar mij uit.

„Coco, laat haar met rust," zegt Landon. „Kom, ga mee."

„Wat moet jij eigenlijk met zo'n afgelikte boterham?" snauwt ze naar hem. „Ze heeft het hele hotel al afgewerkt!"

„Oké, hier blijf ik liever niet bij," zeg ik hooghartig, met een vleugje van het kakkineuze accent dat Landon zo sexy vindt. „Je schaamt je ogen uit je hoofd als je weer bij zinnen komt, Coco. Er was helemaal niets aan de hand." Zo elegant mogelijk waad ik de oever op, met Landon vlak achter me.

„Ik heb het zelf gezien!" gilt ze als een dwaas.

„Dan mag je je ogen wel eens na laten kijken."

„Jij smerige snol! Vieze slet!"

„En als je toch bij de dokter bent, laat je dan ook meteen even testen op Tourette."

Ze gaapt me aan; ze heeft geen idee waar ik het over heb. „Wát..."

Er klinkt een ritselend, slepend geluid bij haar voeten.

Iggy is wakker geworden door de commotie en komt op zijn dooie akkertje aansjokken om een duik te nemen.

Coco kijkt omlaag, precies op het moment dat Iggy omhoog-kijkt, recht in haar ogen, zijn brede hagedissengrijns vol wel-lustige vriendelijkheid. Hij zet nog een stapje naar haar toe; zijn lange reptielenklauwen schrapen over haar sandaaltjes met open teen.

De kreet die uit haar keel komt, weergalmt als een matje voetzoekers over het meer.

Toch hoor ik het geproest naast me erdoorheen. Ik kijk naar Landon en we wisselen een samenzweerderige blik uit.

„Haal dat monster weg!" jammert ze. „Maak het af! Pak een tak!"

Ik laat haar nog een paar tellen zweten, hopend dat ze van angst in haar broek zal piesen. Dan stap ik het water uit, buk me en til Iggy op.

„Geen paniek, Coco," zeg ik, terwijl ik hem over mijn schou-der leg. „Het is mijn leguaan maar."

„Jij... jij... gestoord kreng!" sputtert Coco. „Jij geflipte..."

Maar ik ben al weg. Ik stel me zo voor hoe Iggy's prachtige

groene staart langs mijn bruine rug zwiept. Ik hoop maar dat Landon ons nakijkt.

„Bedankt, knul," fluister ik tegen Iggy. „Dat was geniaal."

34

Daarna hoef ik alleen maar te wachten. Eerst wacht ik tot het geschreeuw bij het meer is afgenomen, dan wacht ik voor alle zekerheid nog iets langer, en dan laat ik Iggy naar buiten zodat hij alsnog een duik kan nemen. Ik trek een dunne witte jurk aan, ga op de veranda zitten en wacht verder.

Ik geniet na van wat er die middag is gebeurd. Van hoe Landon me heeft vastgehouden, achter me aan kwam zwemmen. En van hoe weerzinwekkend Coco was. Het kan niet anders of Landon is op dit moment druk doende haar te dumpen.

De schemering valt in. Ik begin rusteloos te worden. Waar blijft Landon? Wanneer komt hij mijn trap op veren, misschien vol schrammen van Coco's gelakte nagels in zijn gezicht, op zoek naar gezond verstand en medeleven?

Ik wacht verder.

Ik zet koffie.

Ik zet nog eens koffie.

Het wordt donker.

Ik zit aan mijn vijfde mok koffie wanneer ik Landon eindelijk op zijn huisje af zie komen slingeren. Hij ziet er versuft uit, dronken misschien. O help! Zo had het niet moeten gaan. Ik kijk hoe hij wankelend door het kreupelhout loopt. Waarom kijkt hij mijn kant niet op? Hij staat voor zijn verandatrap. Ik zou het niet overleven als hij zonder wat te zeggen naar binnen ging.

„Hé, Landon!" roep ik.

Hij kijkt op. „Hé!" roept hij terug. Eén afschuwelijk moment lang denk ik dat hij het daarbij laat – dat hij naar binnen gaat en de deur achter zich dichtdoet. Dan vraagt hij: „Ben je nog wakker?"

„Nee, hoor je me niet snurken dan?"

„O ja, ha ha. Britse humor, hè?"

„Zoiets."

Hij kuiert op me af. Wanneer hij langs het licht dat uit mijn slaapkamerraam valt loopt, zie ik zijn gezicht en weet ik zonder enige twijfel dat hij het niet alleen heeft bijgelegd met Coco, maar dat hij de afgelopen lange uren met haar in bed heeft gelegen. Hij ziet er helemaal bedwelmd en verzadigd en zelfvoldaan uit.

Nee nee nee! Ik heb zin om net zo'n scène te trappen als Coco vanmiddag, ik wil gillen en razen en tieren en jánken. Ik voel me net zo verscheurd, net zo gekwetst als zij – meer nog, waarschijnlijk, want ik heb een behoorlijk functionerend stel hersens. Maar ík mag geen scène maken, hè? Ik heb er geen recht toe. Zij is zijn vriendin; ik ben zomaar iemand, iemand die hij heeft opgepikt op een busstation en met wie hij wat heeft 'gerommeld'.

Toch moet ik weten wat er is gebeurd. Misschien is het masochistisch, maar ik móét het weten. Ik onderdruk mijn pijn, plak een glimlach op mijn gezicht, leun heel nonchalant over het verandahek en vraag: „En, heeft Coco je vergeven?"

„Ik geloof het wel," zegt hij grinnikend en hij meesmuilt naar me. Heel even kan ik hem wel zijn strot afsnijden. „Maar man, ze is zó intens. Pffft. Ze is zo… héftig."

„En daar hou jij wel van?" vraag ik schor.

Hij haalt zijn schouders op. „Ik heb gezegd dat ik een avondje alleen wilde slapen. De dingen op een rijtje zetten." Hij komt de trap op lopen. „Je lijkt wel een spook in dat nachthemd," merkt hij op.

„Het is geen nachthemd," snauw ik.

„O. Krijg ik nog een biertje van je, Ro? Ik kan er wel een gebruiken."

Ga vooral zo door, denk ik nijdig terwijl ik naar binnen stamp en twee flesjes uit de koelkast pak, ga vooral door met dat domme, ongevoelige, hufterige gedrag. Dan ben ik in een mum van tijd over je heen.

Ik loop de veranda weer op. Landon heeft het zich gemakkelijk gemaakt. Hij ziet er prachtig uit, met zijn lange benen voor zich uitgespreid. Met een brok in mijn keel geef ik hem zijn biertje aan.

„Ik heb nagedacht over wat je vroeg," zegt hij.

„Wat?"

„Of ik daarvan hou, dat ze zo intens is. Het punt is… ik heb het gevoel dat ik geen keuze heb, snap je? Ik bedoel, ze is me de baas, ze heeft me in haar macht. Ze houdt op met krijsen en neemt me mee naar haar kamer, en eerst huilt ze en dan zegt ze dat haar woede in 'exacte proportie' staat met haar liefde. En dan bewijst ze het me. Ze kruipt gewoon boven op me en bewijst het."

Ik laat een stilte vallen, probeer mezelf te beschermen tegen een opdoemend beeld van Coco die boven op hem kruipt. Dan zeg ik: „Ik dacht dat je die spelletjes zat was."

„Spelletjes?"

„Zo noemde je het vanmiddag. Je zei dat ze met verknipte ideeën rondliep."

Hij glimlacht, schudt zijn hoofd alsof hij het de moeite niet vindt te antwoorden. Hij is nog vol van heel andere spelletjes.

Weer voel ik tranen opkomen, en dit keer weet ik niet of ik ze wel kan inslikken. „Nou ja, fijn dat jullie eruit zijn," mompel ik.

„Dus je hebt haar weten te overtuigen dat we niets deden?"

Hij neemt een slok bier. „Ja," zegt hij glimlachend. „Dat we gewoon vrienden zijn. Al weet ik niet wat ze zou zeggen als ze me nu hier zag zitten. Ze is zó achterdochtig. Tegenover wie dan ook."

Geweldig. Niet zozeer tegenover mij. Tegenover wie dan ook. „Dan zou ik maar teruggaan als ik jou was."

„Ja, laat ik dat maar doen." Hij staat op en loopt weg.

35

Er wordt een knop bij me omgedraaid. Nadat ik dacht dat ik Landon terug zou krijgen en hij toch weer van me afgepikt bleek te zijn, begint er vanbinnen iets te borrelen. Mijn gezonde verstand en realiteitszin en fatsoen – ze versmelten tot een hittezoekende raket die recht op Landon is gericht. Ik zie het grotere geheel niet meer. Ik zie alleen hem nog maar… en Coco die in de weg staat. Coco die hem verdooft en onderwerpt en behekst.

Ik probeer te bedenken hoe ze dat doet. Ik peins over hoe ze eruitziet, hoe ze zich gedraagt. Tot nu toe heb ik alleen maar geduldig afgewacht en me op de achtergrond gehouden.

Hoog tijd dat daar verandering in komt.

Twee dagen later krijg ik mijn grote kans. Er wordt een gala-avond georganiseerd in de balzaal van het hotel en de evenementencoördinator probeert een clubje jonge, aantrekkelijke personeelsleden te ronselen om de sfeer te erin te brengen. LaToya en ik worden ook uitgenodigd. Het kan niet anders of Landon en Coco – de schoonheidskoning en -koningin van het hotel – zijn ook van de partij. „Gratis toegang, gratis eten en drie gratis drankjes," belooft de evenementencoördinator. „Het moet goed vol zijn."

„Prima," zeg ik. „En we hoeven alleen maar lol te maken, hè?"

„Ja. En zorg dat jullie er op je allermooist uitzien, meiden," dweept hij terwijl hij de kaartjes overhandigt. „En dáns. Jullie moeten de dansvloer vol krijgen."

„Ik ga heus niet met een kwijlende bejaarde dansen omdat ik gratis naar binnen mag," zegt LaToya snuivend.

„Dat hoeft ook niet," verzucht de man. „Maar probeer alsjeblieft beleefd te blijven, oké?"

Met overdreven sexy kleding heb ik altijd moeite gehad. Al toen ik vrij jong was, concludeerde ik dat het akelige van strippen was, dat mannen je niet meer als een mens zien, alleen als een stel borsten en billen. Op zich is het niet beledigend dat ze je borsten en billen mooi vinden, het gaat erom dat ze ze niet meer met jou zélf in verband brengen. Het soort mannen dat je niet in de ogen kan kijken als je een laag uitgesneden truitje aanhebt, valt in diezelfde categorie. Je krijgt het idee dat ze het niet eens zouden merken als je gezicht ineens veranderde in een hondenkop. Of als je hoofd eraf viel. Zolang de delen waarin ze geïnteresseerd zijn maar op hun plaats blijven.

Aantrekkingskracht waar oogcontact bij komt kijken, een gesprek en wisselwerking – aantrekkingskracht waarbij de hele persoon betrokken is – dat staat een heel stuk hoger op de revolutionaire ladder. Het is veel gecompliceerder, veel moeilijker en griezeliger, maar uiteindelijk de enige soort die de moeite waard is. Zo zie ik het tenminste.

Om terug te komen op sexy kleding – ik heb altijd geloofd dat als ik heel blote, uitdagende kleren aantrek, ik ermee instem dat mannen me als een stuk vlees bekijken, niet als persoon.

Maar nood breekt wetten.

Eerst ziet LaToya mijn plan totaal niet zitten. „Je opdoffen om indruk te maken op die húfter?" gilt ze. „Meid, ben je nou nog steeds met hém bezig? Voor hem tien anderen, hoor! En als hij

213

zo achterlijk is om bij die hysterische teef te blijven, is hij geen moer waard!"

Maar ik praat haar om. Ik vertel dat ik gedreven word door wraak en lust, en ik hou haar voor hoeveel lol we om de gezichten zullen hebben. LaToya is verzot op winkelen en ze kan de kans niet weerstaan mij op te tuigen. „Ach, ik heb het al zo vaak gezegd, je moet je pluspunten meer uitbuiten, Rowan! Altijd in die korte broeken, op blote voeten…"

Na de middagdienst nemen we de bus naar het dichtstbijzijnde winkelcentrum. Onder LaToya's kritische, bezielde aanwijzingen koop ik een jurk waar de glitter en glamour vanaf spat, en sandalen waarin ik lange filmsterrenbenen heb. „Ik had nooit gedacht," zeg ik terwijl ik in de spiegel kijk, „dat ik er zo mooi uit kon zien. Althans, dat vind ik."

„Mooi? Je bent oogverblindend!" roept LaToya uit. „Je hebt er het figuur voor – je mag er best mee pronken!"

Ik draai wankelend op mijn stilettohakken in het rond. „Maar eerlijk gezegd voel ik me ook wel heel nepperig."

„O Ro, je moet het niet zo serieus nemen! Het is maar een spelletje, weet je nog?"

Een spelletje. Een rol. LaToya heeft gelijk. En trouwens, wat maakt het uit. Ik ben niet meer wie ik eerst was. Ik ben gereduceerd tot de obsessie die me in haar macht heeft. Er is geen ruimte meer voor de oude ik.

Ik wil Landon hebben. Ik geef het niet op. Hij mag me nog zo slecht behandeld hebben, en hij mag dan een idioot en een hufter zijn en alles waar LaToya hem nog meer voor uitmaakt, maar ik wil hem hebben. Op een merkwaardige manier verlang ik nog meer naar hem nu ik heb gezien hoe verslaafd hij is aan Coco. Als zij hem verslaafd kan maken, dan kan ik dat ook.

De jurk heb ik; nu nog een partner. Ik richt mijn pijlen op

Charlie, de barkeeper van wie ik altijd gratis biertjes krijg, om mee te nemen. Hij heeft vaak laten doorschemeren wel iets met me te willen, maar ik heb hem steeds afgewezen. Ik ga naar hem toe, flirt met hem, doe alsof ik helemaal van gedachten ben veranderd en vraag of hij mee wil naar het galabal. Echt schuldig voel ik me er niet over hem te gebruiken, want hij is een verwaande kwal. Maar hij is lang en ziet er redelijk uit, en houdt zich erg bezig met zijn kleding.

Charlies ogen rollen haast uit zijn hoofd wanneer we elkaar die avond voor de ingang ontmoeten. „Rowan!" roept hij uit. „Je… je lijkt wel een fotomodel!"

„Nou, je hoeft niet zo verbaasd te doen," zeg ik bevallig.

„Nee nee, je ziet er altijd mooi uit, maar die júrk – als je het tenminste een jurk kunt noemen…"

„Ja ja, kom nou maar." Ik haak mijn arm door de zijne en we paraderen de brede gewelfde ingang door. Bij de manshoge spiegels blijven we staan om onszelf schaamteloos te bewonderen. Via de spiegel kijk ik hem aan en ik grinnik. „Ja, jij ziet er ook goed uit," zeg ik.

„We zouden een prijs moeten krijgen," vindt hij.

We lopen verder, de brede met blauw tapijt beklede trappen af, het hart van de balzaal in. Het is een enorme ruimte met hoge plafonds, en ingericht alsof iemand zijn fantasie heeft uitgeleefd. Gouden beelden van herten en valken doemen op uit stroken nagemaakt graan, formaties van neprotsen. Strengen paarse lichtjes glinsteren boven een lange bar, er staan flessen te koelen in een spetterende fontein. Het is magisch, maar ik zie het amper. Mijn radar staat scherp op Landon.

De zaal is al half vol, er stijgt geroezemoes op. Terwijl we naar de bar lopen, klampt de evenementencoördinator ons aan. „Jongens, drie gratis drankjes, meer niet!" sist hij. „En in beweging blijven, lachen naar de gasten!"

„Welkom in ons hotel," mompel ik droog. „Uw plezier is onze roeping."

„Wat?" vraagt Charlie.

„Laat maar."

Zodra we een drankje in onze hand hebben, sleep ik Charlie mee voor een tour door de zaal. Ik sprankel, ik schitter, ik schenk de gasten glimlachjes en deel complimentjes uit.

„Niet overdrijven," gromt Charlie.

„Ik doe gewoon mijn plicht, zoals…"

Coco komt onze richting uit, Landon als een mak hondje achter zich aan sleurend. Ze ziet er goed uit, maar niet veel anders dan normaal. Landon heeft zijn barkeperskloffie aan en kijkt alsof hij wel door de grond kan zakken.

Ik sla mijn armen om Charlies nek. „Je voelt je verwaarloosd, hè?" koer ik in zijn verbaasde gezicht. „Kom, laten we dansen."

36

De avond verstrijkt. Het meeste gaat in een waas aan me voorbij; andere dingen worden uitgelicht alsof er een laserstraal op gericht is. Landons gezicht wanneer hij me in het oog krijgt, verwonderd, vol ontzag – vertwijfeld? – en Coco's jaloerse grimas. Vlak bij ze dansen, met Charlie, maar met het gevoel alsof ik buiten mijn lichaam treed en mezelf om Landon heen wikkel. Tevreden zie ik hoe Landon naar me staart terwijl ik met Charlie slijp. Ik verkneukel me wanneer ik zie dat Coco met haar handen in haar zij en vertrokken gezicht naar Landon staat te schreeuwen; ik knijp mijn ogen dicht wanneer ik zie dat hij sussend zijn arm om haar heen slaat. Aan de bar probeer ik hun snibbige gesprek op te vangen, overmand door het gevoel dat het idioot is, gestoord, tegennatúúrlijk dat ik niet gewoon op hem af kan stappen om hem te zoenen. Misschien doe ik het toch, misschien wel. Want hij is van míj, hij staat in mijn ziel gegrift, hij zit in mijn bloed, hij is van míj.

Meer dansen. Meer zinloos rondjes lopen, over het lawaai heen schreeuwen, lachen. En dan, net voor middernacht, komt Coco plotseling voorbijstuiven, driftig in haar ogen wrijvend. Ze wurmt zich door de menigte en wankelt de zaal uit. Ik kijk ingespannen om me heen, maar zie Landon nergens. Ik kijk weer naar de uitgang; bij wijze van uitzondering zie ik hem ook niet achter haar aan rennen. Dit is mijn kans. „Charlie?" zeg ik. „Ik moet ervandoor."

„Ervandoor? Waarnaartoe?"

„Luister, ik moet gewoon weg. Sorry."

„Sórry? Rowan, je doet al de hele avond zo maf. Koud – warm. Je bent gestoord."

„Ja, ik weet het. Ik... sorry." Ik loop weg.

Als een bezetene zoek ik het hotel af. Alle gangen, de sportzaal, de terrassen... waar ik uiteindelijk een vorm zie op een van de bankjes. Een voorovergebogen, omhelzende, verliefde vorm. Een Coco-en-Landon-vorm.

En op dat moment word ik wakker. Op dat moment stort het allemaal in; de hittezoekende raket in me sputtert en gaat als een nachtkaars uit. Hij heeft gelijk, denk ik, Charlie heeft gelijk, ik ben gestoord. Waar ben ik mee bezig? Ze zijn aan elkaar verslaafd – ze zullen nooit uit elkaar gaan.

Ik trek mijn stilettohakken uit en maak koude dauwafdrukken over het veld naar het bos. Ik strompel met mijn handen voor me uit gestrekt tussen de bomen door, verblind door het duister. In mijn huisje stap ik uit mijn oogverblindende jurk en hang hem op, me afvragend of ik hem ooit nog zal dragen. Dan val ik in slaap met de hoop nooit meer wakker te worden.

De volgende dag heb ik vrij, en het is al ver over tienen als ik de veranda op loop. Om de een of andere reden verbaast het me niet Landon aan het meer te zien liggen. Ik denk dat hij slaapt, tot ik zie dat hij met een hand door het water beweegt. In de andere heeft hij een joint.

„Hé," zeg ik. „Hoe is het?"

„Slecht."

„Hoezo?"

„Gewoon, slecht. Oké?"

„Oké, oké."

Hij stoot een lachje uit. „We hebben weer bonje gehad. Gisteravond."

„Goh, bel de krant maar."

Hij draait zich naar me toe. „Wat heb jij?"

„Niks. Jullie hebben altijd ruzie. Wat zou het verschil zijn met de vorige ruzies?"

Hij zucht. „Het verschil is dat ik haar dit keer keihard de waarheid heb gezegd. Dat ze een snob was, dat ik ziek was van haar spelletjes en het eeuwige gezanik."

Ik staar naar zijn prachtige gezicht. Zijn woorden zouden me uitzinnig moeten maken van hoop, maar er gebeurt niets. Ik ben alleen maar moe.

„Ze ging helemaal door het lint," vervolgt hij. „Na afloop hebben we het weer goedgemaakt, maar vanochtend... Ze heeft me er net uit getrapt. Zei dat ze tijd nodig had om na te denken."

„En als ze klaar is met denken, ga je weer met hangende pootjes naar haar terug?"

„Ro-anne, wat ís er toch? Waarom doe je zo gemeen?"

„Waarom kom je bij míj over Coco klagen?"

„Nou, eh... sorry. Maar je vroeg zelf wat er was. En ik dacht dat we vrienden waren."

„Wij zijn nooit vrienden geweest."

Er valt een stilte. Ik kijk om me heen, zie alle schoonheid. Het meer, de groene planten, de schaduwen op het wateropper- vlak. „Landon," zeg ik dan kalm, „je bent een stakker. Een suk- kel. En waarschijnlijk nog een masochist ook."

„Jemig? Verder nog iets?"

„Ja, je bent zielig. Je bent een junk. Je weet welke spelletjes ze met je speelt en je laat je er toch voor gebruiken. Je bent ver- slaafd aan drugs en je bent verslaafd aan Coco, en aan geen van tweeën heb je iets, en ze beperken je allebei in je leven. Je échte leven."

„Ben je nu klaar?" snauwt hij.

„Ja," antwoord ik, „met jou ben ik klaar," en ik loop naar binnen om nog wat verder te slapen.

Een paar uur later wordt er op de half openstaande deur geklopt. „Ja?" roep ik slaapdronken.

Ben komt binnen en loopt rechtstreeks mijn slaapkamer in. „Eh… Rowan?" zegt hij. „Ik wilde je even iets laten weten."

„Wat?"

„Coco is weg. Heeft haar koffers gepakt en is vertrokken."

„Ja hoor."

„Nee, echt. Dan weet je het maar, hè?" Hij draait zich om en net voordat hij de deur uit loopt, zegt hij nog: „Wees niet te hard tegen hem."

Ik vind Landon aan de overkant van het meer. Hij zit tegen een omgevallen boomstam aan geleund. Iggy zit naast hem van de laatste zonnestralen te genieten. Ik weet niets anders te bedenken, dus ik roep: „Wat wordt Iggy groot, hè?"

Landon reageert niet, maar Iggy's klauwen schrapen vergenoegd langs de schors en hij richt zijn kop knikkebollend mijn kant op. Hij heeft nog steeds die grijns, maar hij ziet er ruiger uit, vastberadener… „Die kammen zijn best wel imposant, hè?" zeg ik. „Langer. En ze worden oranje."

„Hij wordt volwassen," mompelt Landon.

Ik ga naast hem zitten. „Wat erg," zeg ik. „Van Coco, bedoel ik. Wil je erover praten?"

„Nee. Ik weet al hoe jij erover denkt. En je hebt waarschijnlijk nog gelijk ook."

„Heb je liever dat ik wegga?"

Na een lange stilte komt zijn hand omlaag, bedekt de mijne op de grond. Ik schiet helemaal vol, dus ik staar strak voor me uit om te voorkomen dat ik in tranen uitbarst.

Het lijkt alsof we urenlang gewoon zo zitten, naast elkaar, voor ons uit kijkend, zwijgend. Iggy verschuift en haalt zijn klauw af en toe door mijn haar, maar Landons hand blijft op de mijne liggen. Het meer glinstert, in het gras sjirpen krekels. Langzaam verdwijnt de zon achter de bomen en honderden vogeltjes beginnen helder te kwinkeleren, als een ode aan de stilte. Het is zo mooi dat ik mijn adem inhou.

Dan zegt Landon opeens: „Vorig jaar ben ik met Pasen in Griekenland geweest."

„O ja?"

„Wat ik daar gezien heb… ze stoppen dit soort zangvogeltjes in piepkleine kooitjes. Ze houden van het geluid, dus ze vangen ze en stoppen ze in afgrijselijk krappe doosjes. En die vogeltjes blijven zingen. Je zou denken dat ze niet meer willen, maar ze zingen verder. Het is… ik kan het gewoon niet bevatten. Hoe mensen van dat mooie geluid kunnen houden, maar het niet in verband brengen met de vogels, hoe ze naar het gezang kunnen luisteren zonder te beseffen hoe in en in gemeen het is dat ze die kleine…"

Hij breekt zijn zin af, want ik zit te huilen. Geen stille tranen – enorme schorre uithalen die ik niet kan tegenhouden. „Ro!" zegt hij verschrikt. „Ró!" Hij slaat zijn arm om me heen, trekt me tegen zich aan. „Hé, toe nou! Hé, je maakt Iggy bang!"

Achter me hoor ik Iggy van de boomstam af klauteren en in het gras neerploffen. „Sorry," snif ik in Landons overhemd. „Sorry."

„Waarom huil je nou? Om die vogeltjes?"

Ik klamp me aan hem vast. „Ja," breng ik uit. „Nee. Gewoon, alles. Jij."

„Ik?"

„Zoals je het vertelt, over die vogeltjes, ik vind het zó schattig, dat je bij zoiets stilstaat… Ik… ik vind je lief, ik vind je zo

221

lief. Ik was er kapot van toen je terugging naar Coco…"

Hij buigt zijn hoofd, wrijft zijn neus over mijn kruin. Ik weet dat als ik mijn gezicht ophef, hij me zal zoenen. Ik snuif en kijk op. Hij drukt een zachte kus op mijn voorhoofd, op mijn neus. Dan op mijn mond.

Misschien is dit wanneer je besluit met iemand naar bed te gaan. Wanneer je emotioneel zo'n wrak bent dat niets je meer kan schelen. Hoe dan ook, ik sta op en trek Landon mee omhoog. Zonder ook maar één woord te zeggen lopen we naar mijn huisje, gaan naar binnen en rechtstreeks door naar de slaapkamer.

„Weet je dit zeker?" vraagt Landon.

Ik knik. We trekken in stilte onze kleren uit, bijna plechtig, ieder voor zich, en gaan naakt op bed liggen. Dan vrijen we alsof dit wel eens onze laatste dag op aarde zou kunnen zijn.

37

De volgende dag zeggen we niets over wat er is gebeurd, over Coco, over wat dan ook. Ik wil er wel over praten, maar ik kan de woorden niet vinden. En Landon wil het er niet over hebben. Het is alsof hij ergens bang voor is, bang iets verkeerds te zeggen.

Tegen het einde van die week is hij bij mij in het huisje getrokken. We bespreken het niet; hij slaapt gewoon 's nachts bij mij in bed en laat steeds meer van zijn spullen achter, totdat hij uiteindelijk niets meer in zijn eigen hutje te zoeken heeft.

De weken die volgen zijn idyllisch en onwerkelijk. Een paar keer probeer ik met hem te praten over wat er tussen ons gebeurt, maar hij zegt: „Hé, bederf het nou niet, we hoeven er niet over te praten." En dan snoert hij me de mond met een zoen.

Misschien heeft hij gelijk, misschien hoeven we er niet over te praten. We communiceren door middel van seks. Hij leert beter zoenen. Hij leert van alles, net als ik. Ik voel me min of meer bedwelmd door genot, intimiteit, geluk. Soms kijk ik naar hem en bedenk me weer hoe mooi hij is en zeg tegen mezelf: hij is van mij. Het is ongelooflijk dat ik hem mag aanraken wanneer ik maar wil.

Met geslijm, smeergeld en intimidatie bewerken we onze collega's om zoveel mogelijk tegelijk vrij te krijgen. Na het werk ga ik naar de bar of hij komt naar het oppashok om me te halen. Het mooist van alles is samen aan het meer te zijn.

's Ochtends zwemmen, 's avonds zwemmen. Samen in het zand opdrogen in de lage septemberzon. Een vuur maken, barbecuen, naar de herten kijken, de opossums en de vleermuizen. Eén keer zie ik zelfs een kleine bruine beer. Ik kan me niets heerlijkers voorstellen, ben verdwaasd van vrijheid en geluk.

Toch knaagt ergens diep vanbinnen het besef dat dit niet eeuwig kan duren. Het is al half september, het seizoen zit er bijna op. Als ik zie hoe Iggy als een keizer rond zijn meer kuiert, maak ik me zorgen over hoe ik hem de winter door kan helpen, waar ik hem mee naartoe kan nemen, hoe hij erop zal reageren als hij weer opgesloten wordt nu hij aan al deze vrijheid gewend is. Hoe deprimerend het vooruitzicht ook is, het valt in het niet bij de gedachte hoe het verder moet met mij en Landon als we hier weggaan.

De helft van de mensen in de huisjes zijn al vertrokken. Ben en Rick gaan dinsdag weg om zich voor te bereiden op het nieuwe studiejaar, en we geven een grootse afscheidsbarbecue voor ze. Terwijl Landon en ik in het bos hout lopen te sprokkelen, haal ik diep adem en vraag hem wat hij gaat doen als zijn werk hier erop zit.

Hij schudt zijn hoofd. „Geen idee."

Ik wacht tevergeefs of hij mij dezelfde vraag stelt, dus ik zeg uit mezelf: „Ik ook niet. Maar ik wil heel graag in Amerika blijven."

Hij kijkt niet blij – hij kijkt uitdrukkingsloos. Mijn keel wordt dichtgeknepen. „Landon…"

„Kom, Ro, ik krijg lamme armen. Laten we teruggaan, oké?"

Ben is al begonnen met het vuur aan te maken. Iggy ligt op een stronk ernaast te luieren en houdt hem in de gaten. We gooien het hout op de grond, en Iggy glibbert verschrikt op de grond.

„O, Iggy, sorry," zeg ik en ik breek mijn zin af. Iggy ziet er heel vreemd uit en gedraagt zich nog vreemder. Alsof hij zichzelf heeft opgepompt; de losse huid rond zijn nek is helemaal opgeblazen. Hij staat te knikken, niet sloom en goedmoedig, maar vlug, zijn kop slaat door de lucht en de tanden van de kammen op zijn kop staan als speren naar voren. Dan, net wanneer Landon nietsvermoedend naar het vuur stapt, boldert Iggy zijdelings op hem af, zijn staart zwiepend. „Lándon!" roep ik. „Kijk uit! Iggy!"

Landon blijft verwonderd staan. Ook Iggy komt tot stilstand en hij begint heel griezelig een soort opdrukoefeningen te doen met zijn voorpoten. „Wat is dít nou?" roept Landon. „Daagt hij me uit of zo?"

Er schiet me iets te binnen. Iets wat de verkoper in de terrariumwinkel zei, de dag dat ik uit Seattle vluchtte. „Het is territoriumdrift!" piep ik. „Hij is geslachtsrijp! Je staat op zijn terrein!"

„Neem de uitdaging aan, man," roept Ben. „Laat hem maar eens zien wie de sterkste is."

Half lachend zet Landon een stap in Iggy's richting, met zijn armen zwaaiend. „Uitslover!" schreeuwt hij.

Iggy verstart, werpt Landon een vernietigende blik toe. Dan drukt hij zich nog één keer op, draait zich met een ruk om en sjokt het kreupelhout in.

„Tjonge jonge," zegt Ben grijnzend. „Je hebt zijn vrouwtje ingepikt, hè? Hij is jalóérs. Hij ziet je aan Rowan frunniken en dat vindt hij maar niks en…"

„Ja ja."

„Ik zou maar oppassen, man. Ik heb gehoord dat leguanen lelijk kunnen bijten. Ze laten niet los en gaan schúdden." Ben lacht en ik kijk hoe Iggy's staart tussen de planten verdwijnt, en ineens, om allerlei verwarrende redenen die ik zelf niet begrijp, ben ik zo intens verdrietig dat ik wel kan janken.

Er hangt een bizarre sfeer tijdens het feest. Iedereen is sip en uitgelaten tegelijk, want dit is vrijwel zeker het laatste grote feest van dit jaar. Van dit leven.

Ik drink te veel. Op een gegeven moment plof ik neer naast Rick en zonder het te willen vraag ik: „Was het vorig jaar net zo leuk?"

Hij kijkt me geniepig aan. „Veel leuker nog."

Ik ben gekwetst. Ik kan het niet helpen, ik vat het persoonlijk op. „O ja?" brom ik. „Hoezo dan?"

„Ik weet niet, het was gewoon leuker, oké?"

Ik blijf ineengedoken zitten, totdat Landon met een paar biertjes naar me toe komt. Ik wil hem vertellen wat Rick heeft gezegd, hem allerlei dingen over Coco vragen, en over mij, en hoe het nu verder gaat, maar ik durf niet. Stel dat hij ook zegt dat het gewoon leuker was?

Die avond kijk ik naar zijn slapende gezicht in het maanlicht dat door het raampje naar binnen valt. Voor de zoveelste keer vraag ik me af wat Coco precies had, wat hem zo aan haar bond, en ik vraag me af of ze maar ruzie bleef maken omdat hij nooit ergens over wilde praten, haar nooit vertelde wat ze wilde horen. Ik ben bang dat als het nog langer zo doorgaat ik ook rellen zal gaan schoppen.

LaToya is niet op de barbecue geweest. Ze zegt dat ze niks heeft met dat 'hippiegedoe bij het meer'. We zien elkaar eigenlijk alleen nog maar tijdens ons werk, maar we zijn nog steeds dikke maatjes. Ze begrijpt dat ik helemaal word opgeslokt door de liefde, zoals zij het noemt, en doet niet moeilijk. Vandaag vertel ik haar tijdens het opruimen over Iggy's nieuwe, kwalijke streken en ze schatert het uit. Maria komt op ons af trippelen en omdat we het niet over mannen of seks hebben, heb ik bij wijze van uitzondering niet het gevoel dat ik mijn mond moet houden. Ze luistert een tijdje mee en zegt dan heel beslist: „Hier is het te koud voor leguanen. Veel te koud."

„Ik weet het," zeg ik. „Ik maak me zo'n zorgen over hoe het van de winter moet…"

„Hij gaat dood. Waar ik vandaan kom is het warmer, daar overleven zij."

„Lopen ze daar dan gewoon los rond, in Mexico?" vraagt LaToya.

Maria's ogen worden wazig. „Vlak bij mijn huis staat een ruïne van een oude tempel. Brede trap, en pilaren… plek waar offers werden gebracht. Chichen Itza. Daar leven de leguanen vrij – in de bomen, in ruïnes, gewoon… zij hangen in de takken, als grote vruchten. Leguanen – daar zijn zij soms twee meter lang. Mijn tante… zij geeft eten."

„Nou, Ro," zegt LaToya lachend. „Dan moet je Iggy daar maar naartoe brengen."

En Maria glimlacht warempel. „Ja. Jij brengt hem naar Chichen Itza. Hij vindt daar lieve vrouw, krijgt kinderen."

Er gaat nog een week voorbij, en op Landon en mij na woont er niemand meer in de hutjes. Het zou idyllisch moeten zijn, maar dat is het niet. Het loopt steeds stroever tussen ons. Landon weigert het nog steeds over de toekomst te hebben, en ik weet dat als ik hem nog één keer „ik leef bij de dag" hoor zeggen, ik instort en hem naar de strot vlieg. Een paar keer knapt er iets bij me en krijs ik tegen hem en doe ik mezelf pijnlijk sterk denken aan Coco, die hulpeloos en lachwekkend met haar hoge sandaaltjes aan het meer stond.

Ik kan nergens meer van genieten. Het samenzijn, zwemmen, koken. Zelfs vrijen wordt bedorven door de onzekerheid, omdat ik het niet kan verkroppen dat iets moois als dit zomaar afgelopen kan zijn. Hij verwijt me dat ik opgefokt en chagrijnig ben, en we maken ruzie en een van ons stormt weg, en we maken het weer goed. Het is alsof we in een maf soort herhaling zitten, verlamd zijn, stilstaan, wachten tot er iets gebeurt.

Dan op een dag ga ik na mijn ochtenddienst naar de receptie om te kijken of er post voor ons is. Dat doe ik maar een paar keer per week. Mijn moeder schrijft me, en Mel – gewoon om me op de hoogte te houden. Landon krijgt maar zelden post. Maar dit keer is mijn vakje leeg en ligt er een brief voor hem.

Het handschrift op de envelop is rond en krullerig. Mijn hersenen kraken. Waar heb ik dat eerder gezien, dat hartje in plaats van een stipje op de i?

38

Ik let op zijn gezicht terwijl ik hem de envelop geef. Hij verfrommelt hem en propt hem in zijn broekzak, alsof hij het niet wil weten. „Maak je hem niet open?" vraag ik.

„Later."

„Hij is van Coco, hè?"

„Ja. Ik denk van wel."

„Je dénkt van wel? Kom op, je weet dat hij van haar is. Waarom maak je hem niet open?"

„Luister, Ro… laat me met rust, oké? Ik lees hem later wel."

En hij beent de deur uit.

Die dag laat hij zich niet meer zien, ook al heeft hij vrij. Ik pijnig mezelf met speculaties wat er in de brief kan staan, de liefdesverklaringen en smeekbeden om het opnieuw te proberen. Wanneer ik daar geen puf meer voor heb, begin ik plannen te maken. Ik ga naar de oppasdienst, en telkens wanneer ik een paar minuten pauze heb, bouw ik mijn plan uit. Landon komt me niet ophalen; op de terugweg door het bos bereid ik me erop voor dat ik de hele nacht alleen zal zijn. Ik voel me uitgeblust en ijskoud; het enige wat me op de been houdt zijn mijn plannen.

Maar wanneer ik het huisje in loop, zie ik dat Landon in bed ligt, diep in slaap alsof er helemaal niets is gebeurd. Ik zeg zijn naam, maar hij verroert zich niet. Ik voel me zo eenzaam, zo buitengesloten, dat ik bijna wens dat hij er niet was.

De volgende ochtend doe ik net alsof ik nog slaap terwijl ik hem hoor opstaan en vertrekken. Zodra de deur dichtgaat klauter ik uit bed en loop de woonkamer in. Hij heeft een briefje voor me achtergelaten, een krabbel op een snipper papier: *Clint aan het helpen.* Meer niet. Geen liefs, geen naam, geen kusjes, niets.

Hoewel ik pas om twaalf uur hoef te beginnen, ga ik alvast naar de crèche. Ik vertel Maria dat ik ontslag moet nemen. Het liefst, zeg ik, zou ik meteen vertrekken, ook al loop ik dan een deel van mijn salaris mis.

Ze knijpt haar gitzwarte ogen toe. „Die jongen, ja?" raadt ze.

„Ja," antwoord ik. Liegen heeft geen zin.

„Jammer, Rowan. Ik wilde jou vragen of jij blijft na de zomer. Jij werkt hard. De kinderen houden van jou."

Ik schud mijn hoofd. „Mijn besluit staat vast, Maria. Het spijt me."

„En waar ga jij heen? Jij hebt een andere baan?"

„Nee, maar ik heb aardig wat geld gespaard."

Ze knikt. „Ja, hier is het goedkoop wonen. Goedkoop en comfortabel."

„Ja." En ineens vliegt het me naar de keel, dat ik dit allemaal moet achterlaten, deze maffe combinatie van sprookjeskasteel en paradijs, dit maffe bestaan in het hotel en aan het meer.

„Waar ga jij heen?"

„Naar Chichen Itza. Waar je het over had. Ik ga Iggy daar vrijlaten, voordat het winter wordt."

Dan doet Maria iets wat ik haar nog nooit heb zien doen: ze schiet in de lach. „Naar México? Jij wilt naar México gaan? Ha!"

„Is het zo gevaarlijk? Ik bedoel, er zijn toch gewoon hotels, of niet, pensions…"

„Het kan gevaarlijk zijn, natuurlijk. Een meisje alleen… Maar

230

het is schitterend. De stranden – wit zand, palmen, de zee is mooi…" Plotseling maakt haar dromerige blik plaats voor vastberadenheid. „Mijn zus. Ik geef jou haar adres – in Cancun – daar kun jij logeren. Je neemt een pak kleren mee voor de kinderen, ja? Ik kan geen geld sturen – zij geven het uit aan verkeerde dingen."

„Maar… maar… vindt ze dat niet lastig?"

„Nee? Waarom? Jij kan helpen met de kinderen. Ik bel haar. Ik vertel haar over de kleren en zij is blij dat jij komt."

Vanaf dat moment ben ik niet meer te houden; het alsof de oorlog is uitgebroken en ik voor de bombardementen uit vlucht. Terwijl Maria de kleren voor haar neefjes en nichtjes bij elkaar zoekt, neem ik LaToya mee naar de kleedkamer en vertel haar wat ik ga doen. Ze geeft me een knuffel en zegt dat ze me heel erg zal missen; ze blijft hier zelf werken en laat me beloven dat ik haar schrijf.

Dan drukt Maria me met een bijna schaapachtige blik een enorme bundel in de armen. Daarbovenop legt ze het adres van haar zus, én een envelop met het salaris voor de volle maand. Ik begin haar te bedanken maar ze wappert mijn woorden weg, alsof ze zich ervoor schaamt zoiets teerhartigs te doen. „Overmacht," zegt ze. „Geen opzegtermijn bij overmacht."

Bij de receptie zoek ik uit hoe ik naar Cancun moet komen; ik moet in San Diego overstappen. Ik reserveer een taxi om me vroeg in de middag naar het busstation te brengen, dan ga ik terug naar mijn huisje om te pakken. Ik drijf op adrenaline. Mijn hart hamert; ik heb het gevoel dat ik aldoor mijn adem inhou. Alsof ik wanneer ik uitadem, als een ballon leeg zal lopen. Met Maria's bundel erbij kan ik niet alles meenemen; ik laat een paar grotere dingen achter, gewoon op het bed.

Ergens verwacht ik dat Landon terugkomt, bereid ik me voor

op een confrontatie, een zoveelste verzoeningspoging. Maar hij laat zich niet zien.

Ik verpulver drie kruidenpillen in een schijf papaja, pak de draagmand en ga op zoek naar Iggy. Het kost me haast een half uur om hem te pakken te krijgen. Hij likt gretig aan de papaja en stommelt erachteraan wanneer ik de schijf achter in de mand gooi. Ik word gek van paniek wanneer ik zie hoe krap hij zit. Ik moet zijn staart erin proppen om het deurtje dicht te kunnen doen.

De taxi kan elk moment klaarstaan bij de receptie. Ik heb geen tijd om een briefje achter te laten voor Landon, ook al had ik het gewild. Ik heb haast.

39

Nooit wil ik meer zo diep zinken als die avond. Na zeven uur op de bus stap ik uit in San Diego. Ik neem een kamer in een sjofel motel, met schelle verlichting aan het plafond en angstaanjagende waarschuwingen op de deur om voor niemand open te doen wegens alle berovingen en aanrandingen in het gebied. Ik laat Iggy in de mand zitten terwijl ik me naar de cafetaria ernaast haast om een mok koffie en een gemengde salade te halen, en wanneer ik hem er eindelijk uit laat, is hij des duivels. Hij galoppeert de kamer door als een draak die op wraak uit is; dan klautert hij met een hoop kabaal tegen de luxaflex op en duikt daarvandaan op het bed. Hij schrokt de salade op en spuugt alles meteen weer uit tegen de zijkant van mijn rugzak. Ik ben misselijk van schuldgevoel om wat ik hem aandoe, om wat ik hem heb afgenomen. Ik durf niet eens te denken aan morgen, wanneer ik hem weer zeven of acht uur moet opsluiten.

Het lukt me de warmtelamp ergens aan op te hangen, maar hij is te overstuur om eronder te gaan liggen. De hele nacht hoor ik hem rond schuifelen, aan de deur krabbelen, over de muren schrapen, op zoek naar de weg terug naar het meer.

Hoe zonnig en licht het de volgende ochtend ook is, ik heb het gevoel dat ik in een ijzeren krat zit, het deksel stijf dicht tegen alle emoties. Ik blijf mezelf voorhouden: naar Mexico gaan, naar Chichen Itza, Iggy vrijlaten, naar Maria's zus. Ik voel me diep terneergeslagen door wat me te doen staat, en door het schimmige besef dat wanneer ik dat eenmaal gedaan heb, de echte klap pas zal komen. Dan zal het deksel van de ijzeren krat af gaan, dan zal ik onder ogen moeten zien wat er tussen mij en Landon is gebeurd, het gevoel weer toe moeten laten.

Iggy weigert zelf de draagmand in te gaan. Logisch. Hij laat het stuk appel waar ik zijn pillen in heb verstopt links liggen en rent bij me weg. Wanneer ik hem in een hoek probeer te drijven wordt hij agressief, zwiept met zijn staart, slingert zijn lichaam dreigend op en neer. Ik zet de mand vlak bij hem en gooi de appel erin. Dan trek ik de vochtige handdoek eruit en gooi die over zijn kop. Terwijl hij worstelt om los te komen prop ik hem de mand in. De nagels van zijn achterpoten krassen over mijn hand, en verschrikt smijt ik het deurtje dicht en doe het op slot.

Tien minuten voordat de bus vertrekt, kom ik op het station aanzetten. Ik leg mijn koffer in de bagageruimte van de klaarstaande bus. Ik voel dat Iggy zich nog steeds uit de handdoek probeert te bevrijden, maar ik kan het niet aan in de mand te kijken hoe het met hem gaat. Ik plof neer op een bankje om te wachten tot de passagiers mogen instappen. Mijn hele lijf voelt loodzwaar; ik weet niet of ik zo meteen nog wel op kan staan. Ik weet niet wat me gaande houdt, waarom ik hier zit te wachten. Ik ben een robot, een zombie.

En dan hoor ik: „Ik vind het gemeen, zo'n grote hagedis in zo'n krap kooitje."

40

Mijn hart blijft stilstaan. Ik kijk op, mijn gezicht bevroren.

En daar staat Landon. Hij staat er gewoon, een paar meter verderop. Hij hijgt, alsof hij heeft gerend, en hij houdt zijn handen tot vuisten gebald naast zich.

Ik wil vragen wat hij hier te zoeken heeft, hoe hij hier is gekomen. Ik wil naar hem toe rennen en hem in de armen vliegen en in tranen uitbarsten. Maar het enige wat ik doe is mompelen: „Dat is precies hetzelfde wat je zei toen we elkaar voor het eerst zagen."

„Weet ik. En nu is het nog erger, hè?"

Hij probeert kalm over te komen, glad en bijdehand en zelfverzekerd te klinken, maar zijn stem is krakerig, en misschien is het de hitte die de lucht doet trillen, maar zo te zien beeft hij.

Er valt een stilte. Hij zet een paar stappen mijn kant op; ik blijf roerloos zitten. Ik kan niet bewegen omdat ik gestold ben, mijn botten verweekt, alsof ik met honing aan het bankje zit vastgekleefd.

„Waar ga je heen, Ro?"

„Naar Chichen Itza," antwoord ik hees. „Er staat een tempelruïne, met bomen eromheen. Er zitten leguanen. Ik ga Iggy vrijlaten."

„Iggy vrijlaten. Denk je hier later zo aan terug, Ro? De zomer waarin je Iggy hebt bevrijd?"

Ik kijk hem aan. Ik wil zeggen dat ik bij deze zomer heel andere herinneringen zal hebben, maar in plaats daarvan vraag ik: „Wat doe je hier?"

„Wat denk je?"

„Ik zou het niet weten. Ik zou het echt niet weten."

Weer een stilte. Landons mondhoeken bewegen, maar hij zegt niets. Onze blikken raken elkaar even, dan sla ik mijn ogen neer en fluister: „Hoe wist je dat ik hier was?"

„Van LaToya. Eerst heeft ze me de huid vol gescholden, maar uiteindelijk vertelde ze waar je naartoe was. Dus ik heb uitgezocht welke route de bus reed, heb een auto gehuurd en ben naar de overstapplaats gekomen."

„Waarom?"

Hij geeft geen antwoord.

„Waaróm?" schreeuw ik.

„Jemig, Ro-anne, moet ik het spellen?"

„Ja! Ja!"

„Mensen, instappen graag!" roept de buschauffeur. „We vertrekken over twee minuten!"

Ik sta op, al weet ik dat ik nergens heen ga, en pak Iggy's mand. Landon duikt op me af, grijpt het handvat beet en klampt zich eraan vast, alsof we vechten om de voogdij, zijn gezicht vlak bij het mijne.

„Ik heb de hele nacht doorgereden om op tijd te zijn," zegt hij. „Waag het niet om me zomaar in de steek te laten, Ro-anne."

„Waarom niet? Jij hebt mij ook in de steek gelaten, voor Coco."

„Ja, dat was een vergissing. Dat is over, ik wil bij jou zijn, oké?"

Ik probeer boos te blijven kijken. „Ik heb nooit het gevoel gehad dat je bij mij was," zeg ik. „Ik heb me altijd tweede keus gevoeld. Je deed afstandelijk, je wilde nooit ergens over praten."

„Het spijt me. Luister, het spíjt me! Ik was bang om te praten, bang dat het fout zou gaan, net als met háár…"

„Ik ben heel anders dan Coco."

„Dat weet ik, dat weet ik. Toen ik gisteren ontdekte dat je weg was – ik kan niet beschrijven wat er door me heen ging. Alsof mijn hart eruit werd gerukt. Je bent zomaar weggegaan… zonder waarschuwing, zonder iets te zeggen…"

„Je wilde niets vertellen over Coco's brief. Je liet helemaal niets los."

„Ik heb hem verscheurd, oké? Toen ik merkte dat je weg was, heb ik hem verscheurd. Wil je het zien?" En hij trekt een handvol papiersnippers uit zijn zak. „Coco is verleden tijd, Ro-anne. Het is over."

„Toe nou mensen!" roept de buschauffeur. „Ik wil op tijd weg, oké?"

„Vraag je koffer terug, Ro," sist Landon. „Alsjeblieft, Ro, vraag het."

Allemachtig, wat geniet ik hiervan. Het komt niet eens in me op om in de bus te stappen, maar dat weet Landon niet. Mijn aardige ik zegt dat ik hem om zijn nek moet vliegen en hem tot moes moet zoenen, maar mijn niet zo aardige ik wil het nog even rekken.

„Ik breng je wel naar Chichen Itza," zegt hij. „Dan laten we Iggy samen vrij. En daarna – daarna doen we wat jij wilt. Geef me alsjeblieft nog een kans, Ro? Oké? Oké?"

Ha Ro,

Bedankt voor je kaart! Dacht dat je me niet meer wilde kennen nadat ik de leguanenman had verklapt waar je heen ging.
FIJN dat het toch nog goed is gekomen! Mis je heel erg. Misschien kom ik op bezoek. Zou het Sheraton voor mij ook

een baantje hebben?
Ga zo door, meid!

Je vriendin LaToya

Lieve Rowan,

Bedankt voor het afgeven van de kleren bij mijn familie. Mijn zus schrijft dat zij ze mooi vindt. En jij en jouw 'echtgenoot' zijn zo vriendelijk. Ik hoop dat dat een leugen was en jij niet nu al met hem bent getrouwd!
Het Sheraton heeft mij gebeld. Ik heb jou uitstekende referentie gegeven – vraag om opslag! Mijn tante heeft mij verteld over de leguaan. Ze zegt dat jij nog steeds langs gaat, en hij kent haar ook en komt naar haar voor eten. Zij zegt dat hij nu een knappe vriendin heeft!
Jij moet gewoon hier terugkomen als het niet lukt.

Je vriendin, Maria Reyes

Lieve Ro,

Cancun, uitsloofster die je er bent! En die enorme stoot op de achtergrond van Iggy's foto, ik neem aan dat dat HEM is? Je zult wel gelijk hebben. Zelfs ik zou iemand die me helemaal naar Mexico achterna kwam, moeten vergeven...
Nog maar (maar???) vier en een halve maand, dan zeg ik de supermarkt gedag en ga ik ook op pad. En reken maar dat ik heel wat meer schildpadden ga redden dan jij leguanen, lekker puh! Man, ik mis je zo! Fijn dat je op Warwick bent toegelaten. Ik ga naar Southampton. We moeten flink bijkletsen wanneer je terug bent. Je komt toch wel terug, hè, Rowan?

Dikke zoenen,

Mel

P.S.: Ja, hè hè, natuurlijk moet je je moeder laten weten waar je zit! Ze komt er toch wel achter en dan wordt ze gek!

Lieve Rowan,

Flossy was heel erg blij met je kaart. Mexico – wat een avontuur!
En dat allemaal voor Iggy – hij heeft het maar getroffen met jou als beschermengel.
Dramatische ontwikkelingen hier – wij gaan ook verhuizen! Sharon is wegbezuinigd (je kunt je wel voorstellen wat een hysterische scènes dat opleverde) en na eindeloze discussies hebben we besloten dat we beiden ons huis verkopen en met ons vieren iets groters zoeken, met een apart oma-gedeelte en een stuk land eromheen. Taylor staat erop dat Sha een baan zoekt met minder uren en veel minder stress. Op het moment zijn ze samen een tweede huwelijksreis aan het maken. Lang moge hij duren…
Ik besef dat ze mij vooral zien als oppas, maar dat maakt me niet uit. Mijn kleindochtertje is me alles waard. Ze vindt het zo spannend dat we gaan verhuizen, ze heeft het zelfs in haar hoofd gehaald dat ze een paard kan houden in de tuin! Ach, misschien kan dat ook wel.
Hou contact, meisje. Flossy heeft het nog steeds over je.

Veel liefs,

Stasia Bielicka

Lieverd van me,

Je brief uit Mexico is net aangekomen! Wil je me soms een hartaanval bezorgen, Rowan? Ik zal je nooit meer verwijten dat je niet avontuurlijk bent! Het klinkt allemaal geweldig, vooral het vrijlaten van de leguaan in Chichen Itza, en zien hoe hij wegkuiert in de zonsondergang. Bedankt voor de foto. Iggy ziet er schitterend uit zo tegen die achtergrond van eeuwenoude ruïnes. Jack heeft hem geleend voor een werkstuk dat hij moet maken – ik hoop dat je dat goed vindt.

Het hotel waar je werkt klinkt ook goed. Wat fijn dat je een kamer met zeezicht hebt. Ik maak me alleen wel een beetje zorgen over die jongen die je hebt ontmoet. Waar ken je hem precies van? Niet meteen te serieus worden, hè, lieverd? Eerst maar aan je studie beginnen.

Van Jack moet ik zeggen dat elke gast die iets met jou wil hém eerst knock-out zal moeten slaan. Snap je nou hoe zwaar ik het te verduren heb hier? Wanneer kom je weer naar huis? Ik mis je ontzettend!

Liefs en kussen,

Je moeder

Ha schatje,

Ik wilde je niet wakker maken. Ben hardlopen op het strand. Blijf maar lekker liggen. Ik maak straks een ontbijtje voor je klaar.
Hou van je, hou van je, HOU VAN JE

L xxxx